# Informe preliminar

## sobre la existencia de los fantasmas

*Para Bruno, que algún día tendrá 14.*
*Y para el Cravis, que algún día los tuvo.*
T. M.

DIRECCIÓN EDITORIAL: Patricia López Zepeda
COORDINACIÓN DE LA COLECCIÓN: Karen Coeman
CUIDADO DE LA EDICIÓN: Pilar Armida y Obsidiana Granados
DISEÑO DE PORTADA: Maru Lucero y Renato Aranda
FORMACIÓN: Ana Paula Dávila
ILUSTRACIONES: Luis Pombo

***Informe preliminar sobre la existencia de los fantasmas***



PRIMERA EDICIÓN: junio de 2011
SEXTA REIMPRESIÓN: agosto de 2016


Insurgentes Sur 1886, Col. Florida.
Del. Álvaro Obregón.
C. P. 01030, México, D. F.

**Ediciones Castillo forma parte del Grupo Macmillan.**

**www.grupomacmillan.com**
**www.edicionescastillo.com**
**infocastillo@grupomacmillan.com**
**Lada sin costo: 01 800 536 1777**

Miembro de la Cámara Nacional de la Industria Editorial Mexicana.
Registro núm. 3304

ISBN: 978-607-463-099-2 



Impreso en México / *Printed in Mexico*

Toño Malpica

*Ilustraciones de Luis Pombo*

# Informe preliminar

## sobre la existencia de los fantasmas

Castillo de la lectura

*El problema con los jóvenes de hoy es que no tienen ningún interés en salvar al mundo.*
Oído al pasar por un café de la colonia Roma.

# Lunes 1° de diciembre

Queridos amigos de la comunidad
científica internacional:

Con gusto presento a ustedes mi informe preeliminar sobre la existencia de los fantasmas. Como podrán darse cuenta, dije "preliminar". No pretendo que lo consideren un informe definitivo. Tampoco soy tan zonzo. Mucho menos cuando se trata de algo tan importante como un informe científico. Así que le puse "preliminar" porque ya habrá modo de hacer el definitivo. Mientras tanto, tendrán que conformarse con éste, que es el único que hay.

Todo empezó cuando el Dire me dijo que, o preparaba un informe, o me olvidaba para siempre de estudiar tercero de secundaria en nuestra gloriosa escuela, el Instituto Académico Superación. El Dire me encargó que preparara una entrega diaria para mi informe, y como nunca había hecho uno, se me ocurrió empezar por contar cómo ocurrió todo. Ya sé que a ustedes, queridos amigos científicos de la era globalizada, les ha de importar muy poco, o nada, o menos que nada, lo que pasa en mi vida. Pero, la neta, de momento no se me ocurre otra manera de hacerlo.

Primero, quiero aclarar que lo que hice no fue por mala leche. Aunque a veces así lo parezca, nunca hago lo que hago por molestar, sino por hacerme el payaso o para ver qué onda. No es tanto mi culpa. A veces me gustaría ser de otra manera, pero qué le voy a hacer; cuando se me presenta una oportunidad como la de hoy, una fuerza interior me obliga a hacer este tipo de tonterías.

Así fue como ocurrió. Estábamos en clase de Física cuando empezó a sonar el celular del Picachú, que tiene programada una musiquita que parece de cabaret o de *strip tease* o de algo así. Vaya, no es que yo haya estado en un cabaret o que haya visto uno, pero me lo imagino. El caso es que sonó la musiquita y como el Picachú se tardó un montón en apagar su porquería, yo no pude evitar subirme a la silla y bailar como si estuviera haciendo *strip tease*. Todos los de la clase se rieron. Y claro, cuando el profesor Martorena volteó, me agarró con la camisa a media panza.

No fue en mala onda, palabra. Pero el profe Martorena igual se puso como león. Y miren que para un señor que tiene como 200 años, un coraje de ésos puede ser el último de su vida. Sí me dio remordimiento y todo, pero la neta tampoco era como para que me llevara a la Dirección.

—Ya, prof, perdón —repetí cuando íbamos en camino. Para un señor que a lo mejor fue a la escuela con los Niños Héroes y además está mal de una pierna, avanzábamos bastante rápido.

—Lo siento, Gumaro, pero lo que hiciste merece una buena reprimenda.

Me sentí súper mal, porque Martorena sólo nos llama por nuestro nombre cuando está realmente enojado. Cuando está normal o feliz, nos dice "panquecitos remojados". A todos nos da mucha risa y nadie lo critica por eso. La neta es que el profe Martorena me cae bien. Es el más ruco de toda la escuela y a lo mejor el más serio, pero es bien buena gente. Que nosotros seamos unos burros y no aprendamos nada, es otro rollo.

Llegamos a la Dirección al paso veloz de Martorena. Me hubiera gustado que el Dire estuviera ocupado o que de plano no estuviera, pero no tuve suerte. Ahí estaba, como si nos hubiera estado esperando, tomando su café y mirando por la ventana. La secre del Dire, la señora Borbolla, jugaba solitario en la computadora. Y como el profe Martorena es el único que tiene paso libre a la oficina del Dire, ella ni siquiera levantó la vista.

—¿Y ahora qué hiciste, Gumaro?

Ya sé que nunca voy a la Dirección a saludar, pero tampoco era como para que el Dire se lanzara en mi contra tan de volada. Digo, sí tenía razón, pero nada le costaba un "buenos días". Y luego dicen que nosotros los chavos somos groseros de a gratis.

—Se puso a bailar en clase —escupió Martorena.

—¿Ah, sí? —dijo, sin más, el Dire.

—Sí —admití.

Y aunque hubiera podido aventarme media hora de explicaciones y decir que la culpa había sido del Picachú por no apagar su celular en clase, preferí callarme la boca porque no sería la primera vez que yo solo me embrollo con mis argumentos chafas. Además, la neta es que sí fue mi culpa.

—Gracias, profesor Martorena —dijo el Dire—. Déjelo conmigo.

Martorena salió de la oficina y el Dire y yo nos quedamos solos. Pensé que me iba a echar un sermonazo de esos en los que sale a relucir tu negro futuro y lo irresponsable que eres y que en un concurso de malos alumnos, tú ganabas de calle. Pero el Dire no decía nada. Le daba un minisorbo a su café sin quitar la vista de las canchas mientras yo aguardaba el golpe de la guillotina.

Yo creo que, muy en el fondo, todos los verdugos disfrutan el momento en el que le piensan tantito antes de dejar caer la cuchilla. Estaba a punto de levantarme para ir a acompañar al Dire a contemplar el paisaje cuando por fin se alejó de la ventana, puso su taza de café sobre el escritorio y se sentó.

—¿Qué pasa contigo, Gumaro? ¿No te interesa nada de nada o qué?

—¿Por?

Lo más seguro es que, cuando eres interrogado a causa de alguna tontería que cometiste, lo peor es hacerte el desentendido. Eso hasta yo lo sé, pero, la verdad, siempre se me olvida. O nunca se me ocurre algo inteligente qué decir. Y tampoco me chiflaba la idea de admitirlo.

Ni modo de decirle que no me interesa nada, cuando sí hay un buen de cosas que me laten bastante.

—Reprobaste siete materias el bimestre pasado, y tus calificaciones del año anterior son deplorables.

"Deplorables." Mal plan. Aunque, pensándolo bien, ¿qué tenían que ver mis calificaciones con el baile?

—Es la octava vez en el año que un maestro te trae a mi oficina —continuó—. ¿Qué diantres pasa contigo?

"Diantres." Si hay alguien en el mundo, además del Dire, que dice diantres cuando se enoja, que levante la mano. Es más, ése sí que es un buen tema para una investigación científica: Número de personas en el planeta Tierra que dicen la palabra "diantres" —dos en América Latina, tres en Europa, cero en África.

—No sé —contesté.

Ni modo de que no dijera nada. Además, era la verdad. Si supiera qué "diantres" pasa conmigo, a lo mejor me esforzaba por cambiar, pero como no sé, pues nos aguantamos y todos tan panchos.

—¿Cómo le haces para sacar nueve en Español y reprobar el resto de las materias? —preguntó, cruzándose de brazos.

Porque me gusta leer rollos y tirar rollos, pero esa es otra historia. De todos modos, no se me dio la gana responder. De seguro ya la había regado. Mejor me encogí de hombros. Que me sentenciara y me dejara ir de una vez. No quería perderme el segundo recreo porque, hablando de intereses, me interesaba bastante saber qué onda con Marissa, que me había estado haciendo ojitos desde la semana pasada.

Pero el Dire nomás me sostenía la mirada. Hablando de verdugos, eso de agarrar la cuerdita y no soltarla...

—¿No te interesa tu futuro?

Aquí vamos.

—Pues sí.

—¿Y entonces?

—No sé.

Una cosa es que me guste tirar rollos y otra muy distinta es querer discutir cuando sé que no vale la pena hacerlo. Nadie, ni siquiera el mejor vendedor del mundo —ése que les vende biblias a los ateos y guantes de box a las gallinas— le gana en una discusión al director de su escuela.

—Gumaro, me da mucha pena, pero voy a tener que quitarte el derecho a reinscripción.

—No, Dire, ¿cómo cree?

—No es por el baile ni por las ocho visitas a mi despacho, sino por tu actitud.

Yo ni siquiera sabía que podían echarte de la escuela con fecha futura, como si te pusieran en la mochila una bomba de tiempo. Mal plan.

—¿Mi actitud?

—Seamos honestos, Gumaro. ¿Cuántas veces más te van a traer a mi despacho en lo que resta del año? En mi opinión, no tienes remedio.

—No, Dire, le juro que sí.

—Llevas siete materias reprobadas. Tal vez lo tuyo no es el estudio.

Me quedé callado. Tal vez tenga razón. Igual lo mío es surcar los siete mares —o los que sean— tumbado de barriga sobre un barquito de esos que no necesitan gasolina. Pero supongo que hasta para eso hay que estudiar. Súper mal plan.

—A mi juicio, todo te da lo mismo y, si por ti fuera, vivirías eternamente de la beneficencia pública.

—No es cierto —me defendí.

—¿Sabes por qué el profesor Martorena les dice "panquecitos remojados"?

—No, Dire. ¿No es de cariño?

Me miró fijamente. En el fondo, el Dire también me cae bien. No es por cierta cosa que él y yo tenemos en común y que no pienso revelarles, sino porque es muy buena persona. Creo que nunca lo he visto enojado y miren que, conmigo, no le han faltado ocasiones.

Finalmente sacó un papel del escritorio y empezó a llenarlo. Estuvo a punto de plasmar su firma cuando, de pronto, levantó la vista.

—Dime una sola cosa, Gumaro, una sola cosa que te haga sentir vivo. Una por la que te hierva la sangre, que te apasione. Una sola.

—¿Algo que me apasione? —en serio que a veces me comporto como un verdadero genio.

—Sí. Una sola cosa. A lo mejor podemos negociar esto.

Puse mi mente a trabajar. Primero pensé en Marissa. No porque me hubiera hecho ojitos toda la semana pasada, sino porque, en general, las chavas me interesan bastante. Pero me di cuenta de volada de que el Dire no se refería a eso. Luego pensé en mi colección de monos de *Star Wars* y, después, en las tres horas que puedo pasar jugando *Call of Duty* sin pararme ni a hacer pipí. Pero no, creo que no iba por ahí. Algo que me interesara. Algo, algo, algo.

Y entonces una chicharra empezó a sonar como loca en mi cabeza.

A lo mejor se me ocurrió porque es la única vez que he hecho algo por mi cuenta, sin que nadie me lo encargara. Fue en las vacaciones de verano, cuando salimos de sexto. El Cuarenta y yo decidimos espiar al fantasma de un zapatero que supuestamente se aparecía en el departamento de su tía Roberta, que está en un edificio viejísimo. Hace un montón de tiempo que nadie vive ahí y los vecinos le habían dicho que en la noche se oía el espíritu de un zapatero que murió ahí mismo en los años 60.

Durante una semana entera, el Cuarenta y yo visitamos el departamento todas las noches con el firme propósito de cazar al espectro. Y me acordé de lo bien que la habíamos pasado.

—Los fantasmas —dije.

Y en cuanto salió de mi boca, me di cuenta de que los fantasmas eran casi tan estúpidos como mis monos de *Star Wars*.

—¿Cómo?

Era demasiado tarde para echarme atrás. Había soltado el bicho a correr y había que defenderlo o pisotearlo. Y, maldita sea mi bocota, preferí defenderlo.

—Bueno... o sea que, a lo que me refiero es que a los chavos nos laten esas cosas de misterio y terror. Se me ocurrió que sería súper interesante que dieran una clase en la que se estudiaran los fenómenos paranormales, o cuando menos más interesante que la clase de Física.

¿Qué me imaginaba? ¿Que estrecharía mi mano y se lanzaría de inmediato a la Secretaría de Educación Pública a proponerles que incluyeran la materia de Parapsicología en lugar de la de Física en el programa de estudios de segundo de secundaria? Vaya tarado.

—¿Estás hablando en serio?

Se trataba de defender al bicho, aunque se hubiera subido al hombro del Dire y le susurrara al oído, como uno de esos diablitos de caricatura: "Expúlsalo, expúlsalo, ¿no ves que este tarado sin remedio se está burlando de ti?".

—Bueno, usted me preguntó qué me interesaba. Y se me ocurrió que los fantasmas y esas cosas pueden ser muy interesantes.

Más divertido que molesto, el Dire guardó la hoja en su cajón y fijó su mirada en mí. Les digo que es incapaz de enojarse.

—Me parece muy bien —sentenció—. Vas a preparar un informe científico, es decir, UN BUEN informe científico sobre la existencia de los fantasmas y me lo vas a entregar antes de que empiecen las vacaciones de Navidad. Y quiero entregas diarias.

Hizo una pausa. A lo mejor estaba tratando de hacerse a la idea de que era a mí, al Gugu, a quien estaba encomendándole tal empresa.

—Diarias significa "todos los días".

—Sí, Dire.

—Ya que te parece que vale más la pena estudiar un mito absurdo que los hechos verificables de la naturaleza, te voy a dar la oportunidad de hacerlo. Si me demuestras que los fantasmas existen y son, por lo tanto, dignos de estudio, te paso con 10 en Física y te regreso el derecho a reinscripción. ¿Estamos?

No me quedó claro si me iba a pasar con 10 en Física todo el año o nada más este período, pero preferí no buscarle. De repente sentí que formaba parte del FBI y estaba al frente de los *Expedientes Secretos X*. De pelos. 10 en Física si demostraba la existencia de los fantasmas. Muerto de la risa. Todo el mundo sabe que los fantasmas existen. El único problema es que nadie les ha tomado una foto.

Lamentablemente, el Dire no había terminado de dictar sentencia.

—Y para evitar que hagas trampa, te voy a asignar una especie de abogado del diablo.

—¿Y eso qué es?

—Alguien objetivo que verifique tus datos y que te obligue a ceñirte al rigor científico. Tu compañera de proyecto será Cordelia Sánchez Sanabria.

—No, Dire... porfa... Cordelia no... —me quise desmayar. Hubiera preferido que me expulsara.

Se puso de pie. Seguía sonriendo.

—Es todo, Gumaro. Espero tu informe el último día de clases de este año. O antes, si es que consigues pruebas fehacientes de que los fantasmas existen.

Me acompañó a la puerta y me palmeó la espalda. Lo odié por unos instantes. De todos modos, me atreví a preguntar una última cosa porque el daño ya estaba hecho y porque sí me dio curiosidad:

—Oiga, Dire, ¿por qué el profesor Martorena nos dice "panquecitos remojados"?

Seguía con su sonrisota. Lo estaba disfrutando. Dejó pasar unos cuantos segundos, suficientes para que la señora Borbolla minimizara la pantalla del solitario y fingiera que trabajaba.

—Se me ocure algo —dijo el Dire rascándose el mentón—. Si lo averiguas, te libero de tu informe. No te pondría 10 en Física, pero sí te devolvería el derecho a reinscripción.

En mi mente, la cuchilla se dejó caer.

Sobre la existencia de los fantasmas

**Reporte número 1**

1º de diciembre

Prof. Sergio Martorena R.
P R E S E N T E

Los avances han sido nulos debido a que el líder del proyecto ha estado evadiéndome. No obstante, he preparado un esbozo de proyecto, tratando de ajustarlo lo más posible a la lógica empírica por la que habremos de conducirnos.

Debido a la singularidad del campo de estudio que nos ocupa, no parece empresa fácil, pero ya juzgará usted. Incluyo dicho esbozo en el anexo.

Atentamente,
Cordelia Sánchez Sanabria
Grupo 202

## Martes 2 de diciembre

Queridos amigos del mundo científico internacional:

Del nabo. No se me ocurre otra forma de describir la pesadilla en la que se ha convertido este proyecto: del súper mega nabo. Ya sé que mi descripción no es la más formal, pero les juro que sí es la más precisa.

Que el Dire me haya puesto a trabajar con Cordelia es como si te obligaran a llevar a tu maestra de catecismo a tu primera cita. Así es trabajar con ella. Si hubiera un planeta lleno de castrosos, algo así como Castrol X, Cordelia sería la reina y soberana vitalicia. Si existiera un diccionario súper gordo de todos los castrosos de la historia de la humanidad, Cordelia estaría en la portada. Y no exagero.

A todo el mundo le cae gorda, y no sólo porque está pasada de peso (algunos hasta le dicen Gordelia), sino porque es la más ñoña de todo el salón. Ni siquiera los tetos se juntan con ella.

Ayer, en cuanto salí de la oficina del Dire, me hice pato todo el tiempo que pude. Me detuve a mirar los periódicos murales, fui al baño, hice pipí y revisé las nuevas estupideces que han grafiteado en la pared hasta que por fin sonó la chicharra y comenzó el segundo recreo. Sólo quería contarle al Cuarenta que tenía que investigar la existencia de los fantasmas, pero entonces vi aparecer a Cordelia en las escaleras que llevan a la Dirección y me acordé de mi horripilante suerte. Hasta me parecía oír al Dire que decía: "Toma nota, Cordelia, tienes que torturarlo hasta que sangre". Mal plan.

Lo único que me levantó la moral fue ver a Marissa, que iba camino a la tiendita con sus brujas, digo, sus amigas inseparables, Liz y Georgette. Ya sé, tienen nombres de princesas y de hecho son bastante guapas, pero tienen un carácter que te hace pensar que traen tachuelas dentro de los zapatos. Me acerqué a ellas nada más porque creí que ya era hora de saber qué onda con Marissa.

—Hola, Marissa.

—No molestes, Gugu —dijo Liz.

Marissa sería incapaz de decir algo así. No sólo es bonita; también es súper simpática. En primero, nos tocó hacer un trabajo de equipo juntos y siempre se reía de mis tonterías. En ese entonces no me gustaba, y no sé si ahora me guste mucho, pero qué más puedo hacer si ha estado haciéndome ojitos una semana completa.

Antes de continuar, tienen que saberlo, amigos científicos: nunca he tenido mucha suerte con las chavas. No es que sea un adefesio. La neta, no estoy tan mal, pero tampoco soy un galanazo. Mi hermano, el Memo, dice que no es porque no tenga lo mío, sino porque soy un tarado. "El día que madures, Gugu, chance y puedas llegar a primera base. Pero mientras sigas siendo el mismo escuincle baboso, olvídate. Tal vez mueras virgen."

Claro que también tendrían ustedes que saber que el Memo siente que lo sabe todo sólo porque ya está por salir de prepa. Además, a primera base ya llegué. Y no sólo una, sino dos veces. La primera fue con una de mis primas lejanas de León y la segunda fue con Rebeca, la única novia que tuve el año pasado, quien, por cierto, me botó a las tres semanas.

—Estoy hablando con Marissa.

—¿Te suspendieron otra vez, Gugu? —me preguntó Marissa, interesada. Algo trae, les juro que algo trae.

—No. Nada más me encargaron un trabajo bien fácil. Oye, ¿te puedo preguntar algo?

—¿Qué?

—Una cosa. Pero que no oigan tus amigas.

Liz y Georgette me miraron como todas las brujas han de mirar a sus vícimas antes de que las conviertan en sapos.

—Ahorita las alcanzo —dijo Marissa.

Sus amigas se fueron y yo sentí alivio.

—¿Qué me quieres preguntar?

El patio y los pasillos ya se habían llenado. Me pareció que podía preguntarle qué onda con las miraditas que me echaba en clase, pero preferí ganar un poco de tiempo.

—Ya sabes.

—No, no sé.

—Sí, sí sabes.

—No, Gugu, no sé.

Y así podríamos habernos quedado unos cuatro días, pero el recreo sólo dura 20 minutos, así que decidí no desperdiciarlos.

—Bueno, que si quieres ser mi novia.

Se rio. Todas las chavas a las que les he llegado se ríen. Pero Marissa se rio simpáticamente. Como que no era burla ni nada. Ya sé que a lo mejor me estaba aventando demasiado pronto, pero me dio flojera esperarme. Pensé que a lo mejor hasta podía besarla de una vez.

—Cómo crees, Gugu —siguió riéndose.

—¿O sea que sí o que no?

Bajó la mirada como con pena, pero a mí se me hacía que estaba a punto de decirme que claro que sí y que podíamos vernos en su casa por la tarde, porque Marissa vive muy cerca del edificio donde vivo. Incluso pensé que a lo mejor hasta llegaba a segunda base ayer mismo. Ja, qué tarado.

—O sea que no —respondió, pero no en mal plan. Lo sé porque, a la distancia, cuando se estaba comiendo la quesadilla que se había comprado de lunch, me seguía haciendo ojitos. Palabra.

Queridos amigos, no sé por qué les cuento todo esto, pues no tiene mucho que ver con mi informe, pero si quieren saber la verdad, todavía ignoro por dónde entrarle. Debo confesar que ni ayer ni hoy hice gran cosa. Ayer porque, en cuanto Marissa me mandó al diablo, apareció Cordelia en el horizonte y yo me escabullí de regreso al salón. Y luego, cuando comenzaron de nuevo las clases, me estuvo haciendo "psssst, pssst" todo el tiempo. El Cuarenta no dejó de fregarme. La muy infeliz hasta me pasó un papelito, y lo peor es que varios se dieron cuenta. El recado decía:

*Tenemos que ponernos de acuerdo para lo del proyecto.*

Pero yo sentí que decía "Ahora eres mío y la vas a pagar, insecto". Hice bola el mensaje y lo tiré.

A la salida, me eché a correr fuera de la escuela. Tuve que pedirle a un cuate que le dijera al Cuarenta que me alcanzara en la esquina porque no quería ver a Cordelia. La neta, empecé a considerar qué tan malo sería que me expulsaran de una vez. Total, Marissa ya me había mandado al cuerno.

El Cuarenta, por cierto, es mi mejor amigo. Se llama René, pero todo el mundo le dice Cuarenta porque, cuando llegó a la colonia, no se quitaba, ni para bañarse, una camisa de los Cowboys de Dallas con el número 40. Vive en la misma calle que yo, en Río Nilo. Y aunque no siempre es tan solidario como yo quisiera, es buen cuate. Por lo general, yo soy el que se mete en líos y él es el que me echa aguas. No es que sea un ñoño, pero no le importa ponerse a estudiar si tiene que hacerlo. En cambio, yo, si puedo burlar la vigilancia de mi madre, prefiero jugar Xbox aunque sea sin volumen.

—¿Qué onda, Gugu? ¿Por qué hasta acá? —preguntó el Cuarenta cuando me encontró.

—Porque Cordelia me anda buscando para matarme.

—¿Pues qué le hiciste? ¿Por qué ahora te manda recados de amor?

—No son recados de amor, baboso. Y pobre de ti si andas diciendo eso.

Le hice la doble Nelson con la que Memo me ha sometido toda la vida.

—Ya, Gugu, no te pongas loco.

Lo dice por decir, porque el Cuarenta es de las pocas personas en el Universo que aguantan que me ponga loco. A lo mejor lo hace porque yo también me empujo, casi sin quejarme, todos sus rollos con Tania —la novia que tiene desde quinto y con la que seguro va a acabar casándose porque son igualitititos— o sus broncas con la vida en general —como el hecho de que todavía no le ha cambiado la voz. Yo le digo que no se azote, que si nunca sucede, seguramente se volvería bastante rico y famoso porque aparecería en todos los *shows* de la tele: "Con ustedes, el increíble hombre con voz de niño".

En eso, llegó mi mamá. Yo ya le había mandado un mensajito con el celular del Cuarenta para avisarle que la esperábamos en la esquina.

—¿Se puede saber por qué están hasta acá, Gumaro? Se supone que deben esperar donde los puedan ver los prefectos. A ver qué día los secuestran y entonces sí la van a hacer buena.

Ésa es mi madre, que siempre anda con el rollo de los robos y los secuestros. A veces pienso que no va a estar contenta hasta el día en que nos secuestren. Va a llamar a mi papá para decirle: "¡Por fin ocurrió! Acaban de secuestrar a tu hijo y a René".

Llegamos a la casa después de haber dejado al Cuarenta, y me puse a jugar Xbox con el McCormick, que estaba conectado.

El McCormick es mi otro mejor amigo. Estuvimos juntos toda la primaria, pero sus papás lo cambiaron a una escuela súper ricachona cuando pasamos a secundaria. En realidad se llama Hugo McKelly, pero nadie le dice así. Es el único tipo del planeta al que puedes ver en Xbox, Twitter, Facebook, Hi-5, Messenger, YouTube y iTunes al mismo tiempo. Según yo, tiene una interfaz en la nuca que se conecta directamente a su CPU con un cable USB, pero aún no he podido comprobarlo.

Así que, como podrán ver, ayer no hice nada más que escribir mi primera entrega, que ya conocen, y jugar Xbox como 50 horas.

La buena se armó el día de hoy, porque, al llegar a la escuela, ahí estaba la mismísima pesadilla de 80 kilos. Y yo que me había hecho la ilusión de encontrarme a Marissa antes de entrar en el salón y preguntarle si no quería pensar un poco en lo que le había dicho ayer.

—A ver, Gutiérrez...

Me revienta que me digan Gutiérrez. Gumaro todavía, pero Gutiérrez...

—¿Qué? —respondí, con una carota que me llegaba hasta el suelo.

—No creas que a mí me hace muy feliz el encarguito —gruñó.

—¿Qué encarguito? —les digo que hacerme el desentendido me sale sin querer. Aunque sólo en presencia de un adulto. O de Cordelia, que para el caso es lo mismo.

—No te hagas, Gutiérrez. Tenemos que sacar este proyecto. Te espero en la biblioteca a la hora del recreo para ponernos de acuerdo. Quiero mostrarte la metodología científica que puede funcionar mejor.

Preferí no responder. "Metodología científica." Esas palabras sólo las usan las computadoras que conducen naves espaciales en las películas y que, además, acaban estrellándose contra algún planeta. Ya me sentía enfermo y todavía ni empezábamos. Claro que, con no presentarme a la cita, resolvía el problema. Me iría a jugar Números con mis cuates y ya.

Pero no fue tan fácil.

A la hora del primer recreo, quise esperarme a que Cordelia saliera primero del salón para irme después que ella y dejarla plantada, como era mi plan. Pero nada. Se paró junto a la puerta como perro guardián, con cuaderno y pluma en mano, y no se movió hasta que por fin me decidí a salir.

—Vámonos —dijo.

Todos se rieron de mí. Creo que hasta Marissa, maldita sea mi suerte. Y es que, de veras, Cordelia es ese tipo de chavas a las que no te les acercas si puedes evitarlo.

—Primero paso al baño —dije, a ver si pegaba.

—Está bien, te espero afuera.

Una pesadilla. Me siguió hasta la puerta del baño y se estacionó a un lado, abrazando su cuaderno como si fuera una coraza. Mientras le jalaba a todos los escusados que había en el baño, empecé a fantasear qué tan difícil sería escaparme por una ventana, pero estábamos en el baño del segundo piso y me dio miedo romperme la cabezota, así que, al final, preferí salir y enfrentar mi destino como todo un valiente.

—¿Por qué te tardaste tanto? —preguntó Cordelia toda engorilada. Y es un hecho científicamente comprobado que lo único peor que una pesadilla de 80 kilos, es una pesadilla de 80 kilos engorilada.

—Bueno, ya, no te esponjes. Ando un poquito mal de la panza.

—Te pasas, Gutiérrez —dijo negando con la cabeza y comenzó a caminar en dirección a la biblioteca. Sólo se detuvo para preguntarme—: ¿Sabes qué es una revisión por pares?

A mí me sonó a chino medieval, así que ni respondí. Seguimos caminando como si yo fuera persiguiéndola, lo cual también era bastante humillante. De pronto se me ocurrió que tal vez podía detener la masacre a tiempo.

—Oye, Cordelia...

—¿Qué?

—Tengo una idea: ¿por qué no hago yo el informe y te lo mando por correo para que tú le eches todo el rigor científico que quieras en la comodidad de tu casa?

Se detuvo nuevamente y me enfrentó.

—A ver, Gutiérrez —resopló como si estuviera tratando con un niño de dos años—, el Director me dijo que estás empeñado en demostrar científicamente la existencia de los fantasmas. ¿Es cierto?

Ni tanto, pero ni modo de salir con que todo tenía que ver con el espíritu de un zapatero que nunca se dignó a aparecer, el muy ingrato.

—Más o menos.

—Pues yo tengo la responsabilidad de verificar tus procedimientos para que no hagas trampa. No me hace nada feliz, pero con eso voy a sacar 10 en Física y en Formación Cívica.

—¿También en Formación Cívica? A mí sólo me lo ofreció en Física. Qué poca...

—No te pierdas, Gutiérrez —me interrumpió—. Ya sé que si no presentas tu informe y demuestras la existencia de los fantasmas, te quitan el derecho a reinscripción. Así que ubícate. YO soy tu ÚNICA posibilidad de reinscripción, te guste o no. Así que vamos a la biblioteca y ya no desperdicies MI tiempo.

De veras que podía ser todo un monstruo si se lo proponía. Lo bueno es que ella no sabía que yo aún tenía una vía de escape. En ese momento, me parecía mejor hacer cualquier otra cosa —así fuera subir el Popocatépetl de rodillas con un piano a cuestas— que intentar trabajar en equipo con una nazi honoraria.

Y entonces ocurrió un verdadero milagro: se terminó el recreo. Creo que jamás me había dado tanto gusto oír la chicharra.

—Chin, qué mala onda. Se acabó el recreo —dije poniendo mi mejor cara de decepción, aunque de seguro me salió súper falsa.

—Bueno, le seguimos en el segundo recreo —respondió ella.

Creo que tampoco le dio tanto coraje que ese primer *round* llegara a su fin. Si hablamos en términos exactos y científicos, creo que si yo fuera un súperhéroe, Cordelia sería mi némesis.

En todo el salón sólo hay uno más burro que yo: Martínez Cerecedo. En el primer bimestre reprobó TODO, incluso deportes. Mi teoría es que se puso a oler un plumón durante toda una semana y se quedó pasmado para siempre. Pueden poner una piedra de 20 kilos junto a Martínez Cerecedo y no distinguir cuál es cuál. Estoy seguro de que Cordelia ni haciendo equipo con Martínez Cerecedo se la pasaría peor que conmigo. Archienemigos, pues.

En el segundo recreo salí como bólido hacia el baño y ahí me quedé los 20 minutos, alegando que me sentía realmente mal.

Y a la hora de salida, volví a echarme a correr. El Cuarenta y yo esperamos a mi mamá en la misma esquina de ayer y fue así que escapé impunemente. Así que hoy, siendo las 6:23 p.m., estoy terminando este informe para ver si por fin puedo sentarme a avanzar en el *Fable*.

Muy preocupado no estoy porque, para su información, tengo un plan B. Y cualquier plan, así sea el más repugnante del Universo, tiene que ser mejor que permanecer más de 10 minutos en compañía de Cordelia *Heil Hitler* Sánchez Sanabria.

Sobre la existencia de los fantasmas

**Reporte Número 2**

2 de diciembre

Prof. Sergio Martorena R.
P R E S E N T E

Al igual que ayer, fue imposible iniciar actividades debido a que la comunicación con el líder de proyecto fue completamente nula. Pese a que, por mi parte, estuve abierta al diálogo y al razonamiento proactivo, el mencionado líder se mostró infantil y evasivo.

Hago constar que tengo la mejor disposición para continuar mi tarea, aunque pienso que, si no hay una modificación importante en la conducta del sujeto en referencia, los avances serán muy pobres.

Atentamente,
Cordelia Sánchez Sanabria
Grupo 202

## Miércoles 3 de diciembre

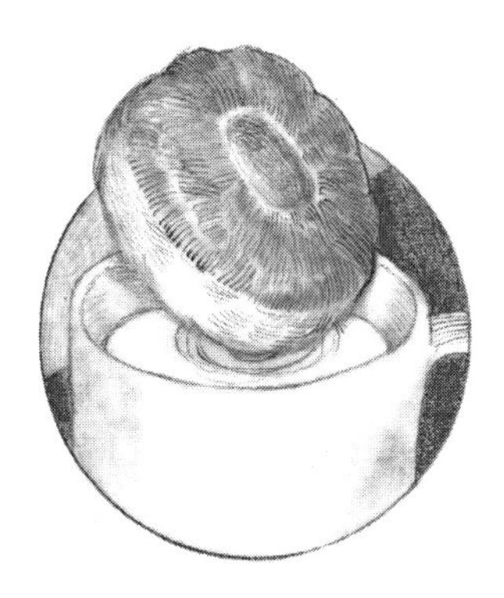

Amigos y amigas amantes de la ciencias exactas:

No tengo escapatoria. Hice todo lo posible, pero hay cosas contra las que no se puede luchar. El destino es una de ellas. Y si ustedes no creen en el destino, es que nunca han vivido en mis zapatos. Estoy súper seguro de que hay un plan trazado para todo el mundo y de que el mío es bastante torcido y tenebroso.

Por ejemplo, con el Cuarenta y el McCormick tengo un juego en el que abrimos una revista de modas al azar y cada quien se va a casar con la modelo que le salga. Pues a mí siempre me tocan páginas en las que sólo salen hombres, perros o muebles. Palabra que siempre.

El caso es que ayer, cuando mi papá llegó a la casa, me dieron ganas de dejar el Xbox y de merendar con él y con mi mamá. Salí del cuarto y me senté a la mesa.

—¿Qué pasa, Gumaro? ¿Ya se te acabó la provisión de mantequilla de cacahuate? —preguntó mi mamá.

A lo que se refería es que, en efecto, usualmente secuestro el tarro de mantequilla de cacahuate antes de que llegue a la despensa. Es un hecho comprobado científicamente que puedo sobrevivir sólo de mantequilla de cacahuate, refresco y televisión hasta por dos semanas. Por eso muchas veces ni salgo a merendar. Pero no ayer. Además, el Memo no estaba en casa y nunca hay que desaprovechar la oportunidad de poder sentarte a la mesa sin que haya un idiota que te quiera corregir todo el tiempo.

En realidad, no se trataba de hablar de nada en especial, ni tampoco de entrarle a los *hot cakes* que hizo mi mamá y que, por cierto, no le quedaron nada mal. Simplemente se trataba de sentirme buena onda con mi papá porque, en cierto modo, no quería decepcionarlo. Quería verlo a los ojos y medir qué tan grave sería para él que me echaran de la escuela.

Al final, como siempre ocurre, ni siquiera hablamos de eso. La escuela es un tema que siempre se trata con mi mamá. Y es ella la que no me deja ni a luz ni a sombra por mis calificaciones. Estoy sentenciado a muerte por haber reprobado siete materias el bimestre pasado, pero como me fue igual el año pasado y me repuse al final, siento que todavía no ha entrado en calor en materia de regaños. Lo que quiero decir es que fue una merienda muy común y muy corriente. Y yo me fui a la cama con la horrible sensación de que no podía defraudar al viejo. Desde que tengo memoria, cuando hago una tontería o llevo una boleta llena de reprobadas, mi papá sólo dice: “Allá tú, Gumaro. Es tu vida”. Y créanme que es peor que un regaño de los fuertes.

Por eso, al día siguiente (es decir, hoy), me puse bien nervioso, porque me dio la impresión de que estaba en un callejón sin salida. Desde que llegué al salón y vi a Cordelia sentada en su pupitre sin intentar cazarme ni nada, supe por qué lo hacía: porque estaba segura de que al final yo caería en sus garras. Lo supe como si lo estuviera viendo en una bola de cristal.

Cochino destino.

De todos modos, no podía dejar de intentar poner en práctica el plan B. Por eso me esperé hasta la hora de Física, y desde que llegó el profe Martorena, cojeando y apoyándose en su bastón como siempre, me puse a rezar.

Ya sé que ustedes, amigos científicos del mundo globalizado, no creen en los santos ni en los ángeles ni en la Virgencita de Guadalupe, pero a veces uno no sabe a quién más encomendarse.

Cuando el profe por fin nos dio los 10 minutos reglamentarios para resolver un ejercicio, me levanté de mi pupitre y fui hacia su escritorio.

—Hola, profe.

—Qué hay, panquecito —respondió Martorena, levantando la vista y regresándola casi de inmediato al libro de Física que estaba revisando.

—Oiga... fíjese que me surgió una duda. No tiene nada que ver con el castigo que me puso el Dire, ¿eh? Es otra cosa.

—¿Qué cosa?

—Es una tontería, ya lo verá.

—Dime, pues.

—Me contesta rápido y yo me regreso a mi lugar, y todos tan panchos.

No dijo nada. Me echó esos ojos que ponen los adultos cuando amenazo con pasarme de la raya, y que ya tengo súper bien identificados.

—¿Por qué nos dice "panquecitos remojados"?

Su mirada cambió de inmediato, como si le hubiera preguntado cuántas naranjas hay en una docena de naranjas. O como si fuera lo más obvio del mundo. Por un ínfimo segundo, pensé que me lo iba a decir y fui feliz. Vaya idiota.

—Pues porque lo son —respondió el profe volviendo la mirada a su libro.

—Sí, ya sé, profe, pero... o sea...

—¿No lo crees así, Gumaro? ¿No eres un panquecito remojado? Posiblemente yo también lo sea.

—Ya, profe. En serio...

Aunque susurrábamos, todos los del salón nos miraban con curiosidad. Cordelia nos penetraba con sus ojos de rayo láser.

—Créeme. Eres un panquecito remojado. Y tus compañeros también lo son. En esta escuela sólo he conocido a unos cuantos que no lo eran. El último se graduó hace cinco años.

Entonces hizo algo que me desconcertó. Se puso de pie y pasó un brazo por encima de mis hombros. Me condujo frente al pizarrón y se dirigió a mis compañeros. Todo el salón 202 me miraba, aunque yo sólo me fijé en dos personas: en Marissa, que me seguía haciendo ojitos y, claro, en Cordelia, que más bien me hacía ojotes de bomba atómica untada con pesticida.

—Tal vez ustedes no estén enterados, pero aquí el panquecito remojado está trabajando en una investigación muy interesante.

Hizo una horrible pausa que bastó para que todo el 202 hiciera la misma ridícula expresión de asombro. Hasta Martínez Cerecedo se sorprendió. Mal plan. A mí no se me ocurrió otra cosa que forzar una sonrisa de idiota. Y como un par de babosos hasta aplaudieron, hice una caravana para agradecer.

—A través de los métodos empírico analíticos sustentados por la ciencia formal —continuó el prof—, va a demostrar la existencia de los fantasmas.

Más aplausos. Más expresiones de asombro. Y yo, que para eso me pinto solo, di tantas caravanas que parecía que me había ganado un Óscar.

—El próximo viernes 19 traerá evidencia científica de la existencia de ese intrigante fenómeno paranormal.

Luego me miró. Y en su sonrisa no había mala leche, ni rencor, ni nada. Yo sólo estaba pagando haberme hecho el payaso en su clase. Todo ese *show* era parte de una sencilla y vulgar "reprimenda". Claro que yo hubiera preferido que me pusiera a hacer un millón de sentadillas cargando los libros más gordos de Física en vez del lío en el que el Dire me había metido. Pero ya ni modo.

—Aparté el salón de eventos para ese día. Después de la pastorela de fin de año, vas a leer tu informe y a presentar tu evidencia frente a toda la escuela.

¿El salón de eventos? Me quise morir. Ahora sí que iba a hacer un gran oso. Y no un oso común y corriente, sino un oso Kodiak de tres metros de altura, con pandero, falda y gorrito.

—No, profe, cómo cree.

—Estoy seguro de que nos vas a impresionar.

No hubo más. Volvió a su escritorio y revisó su lista.

—Patricia Asunción... por favor pasa a resolver el ejercicio, panquecito.

Y así, mientras yo regresaba como en cámara lenta a mi lugar al fondo del salón, Patricia pasó al frente con su cuaderno. Apenas oía el rumor de la clase, como si tuviera la cabeza metida en una cubeta. Al sentarme, supe que moriría antes del fin de semana. Por una parte me alegré, porque la muerte puede ser un verdadero descanso en ciertos momentos. Luego, Marissa miró hacia mi banca y olvidé por completo mi próximo deceso. Total. Como si no hubiera hecho suficientes osos en mi vida.

—¿Y cuándo me lo ibas a contar, mugre Gugu? —me reclamó el Cuarenta.

—¿No te lo conté? Qué raro. ¿Y sí te conté que le llegué a Marissa? —quien, por cierto, me miraba como si yo acabara de recibir la cruz púrpura que les dan a los héroes en las películas. Quién sabe por qué me habrá bateado antier. Les juro que las mujeres son los seres más incomprensibles del Universo. Es más fácil saber qué piensa un arrecife de coral que una mujer de tu edad. Debería haber un Instituto Internacional para la Investigación del Pensamiento Femenino; haría más bien a la humanidad que la NASA, pues resolvería misterios que parecen indescifrables, como el por qué las chavas te hacen ojitos si no quieren andar contigo.

—¿Y qué te dijo?

—Que no. Pero eso, como todo el mundo sabe, en realidad significa que "puede ser".

—¿De dónde sacas eso, genio?

—Hay que conocer a las mujeres, Cuarenta.

Como lleva casi tres siglos con Tania, es como si el Cuarenta no conociera a las mujeres. Por eso no alegó. Lo chido fue que, en ese momento, como si lo estuviera viendo en una bola de cristal, me imaginé en el estrado del salón de eventos de la escuela, leyendo mi informe científico (no éste, claro, que es el preliminar). Todos los alumnos me escuchaban anonadados. No podían creer que el Gugu —el mismo que dice que la capital de Guerrero es Acapulco y la de Estados Unidos, Nueva York— demostrara tales cualidades intelectuales. Había aplausos, gritos delirantes y hasta lágrimas. Marissa, en primera fila, se derretía por mí. Y claro, también las otras chavas del salón. Y de la escuela. Hasta algunas maestras me miraban con ojos picarones. Los fantasmas existen, claro que sí. Sólo hay que demostrarlo y ya. Muerto de la risa.

Marissa regresó la mirada al frente y la bola de cristal se me cayó al suelo, haciéndose trizas. Me di cuenta de que Cordelia también miraba hacia mi lugar y pasé de la alegría al terror en un segundo. Palabra que, por cosas así, la gente se vuelve diabética.

Sonó la chicharra y yo no tuve más remedio que hacerme el fuerte. Suspiré y saqué un cuaderno y una pluma nomás por copiar a Cordelia. Después de todo, mi plan para demostrar la existencia de los fantasmas era bastante simple: meterme a la casa del zapatero, tomarle una foto con mi celular y pasar Física con 10. Nadie necesita pluma y cuaderno para eso.

—Qué onda, Gugu, ¿hoy tampoco vas a jugar Números? —me preguntó el Picachú.

"Números" es un juego de pelota que se practica en mi escuela desde antes del tiempo de los aztecas, aunque de seguro ellos lo jugaban con los codos. Es como el frontón, pero el chiste es que cada jugador tiene un número y le tiene que ir pegando a la pelota de acuerdo a su turno sin dejar que bote dos veces en el suelo. Al final viene lo mejor: el fusilamiento. El que quedó al último fusila al que quedó en segundo lugar. Es de pelos. Se cuentan 20 pasos y el perdedor se para de frente a la pared a recibir la metralla. Sí, es un juego de trogloditas, salvajes y devoradores de carne humana, pero más divertido que el fut con jaloneo de camiseta y el burro tamaleado.

Tuve que decir que no y tragarme mi orgullo como todo un hombre. Ya se habían ido todos. En el salón nada más quedábamos Cordelia y yo.

—Bueno, pues... —fue todo lo que dije cuando me aproximé a ella.

—Vamos a la biblioteca —dijo Cordelia con ánimo de sepulturero.

Ya me estaba arrepintiendo de no haberle suplicado de rodillas a Martorena que me dijera lo de los panquecitos remojados.

—¿Para qué? Aquí es igual. ¿O quieres consultar algún libro?

—No —hizo una mueca—, pero está prohibido quedarse en los salones durante el recreo. ¿No sabías?

Claro que lo sé. Todo el mundo lo sabe, pero también todo el mundo se hace pato. El chiste es que no te vea ningún prefecto. Y si te ve y te saca, tan fácil como hacer que te vas y al ratito regresas.

—Ya, Cordelia, hay que verlo de una vez aquí.

Me volvió a fulminar con su mirada de rayo láser, pero luego como que se ablandó porque se sentó en su banca, negando con la cabeza. A lo mejor quedarse en el salón durante el recreo es un pecado mortal en su religión o qué sé yo, porque sí la vi toda mortificada, haciendo circulitos con un dedo sobre su cuaderno, el cual, por cierto, mostraba un tipo musculoso surfeando en lugar de un retrato de Newton o de Einstein. Qué raro.

—Bueno, está bien. Vamos a la biblioteca —concedí.

—No. Ya. Total.

Después de un silencio que duró como medio recreo, me senté en la banca de junto, donde se sienta el Hobbit, un cuate que mide como 30 centímetros de alto.

—¿Qué tienes pensado, Gutiérrez?

Volví a sentir que me estrangulaba. Preferí poner las cosas en claro de una vez.

—Pensé que... si me dices Gugu, mejor. Nadie en el Universo me dice Gutiérrez, Cordelia. Nadie.

—Prefiero decirte Gumaro, si no te importa.

—No me importa. Y a ti, ¿cómo te gusta que te digan? —pregunté.

No sabía cómo decirle porque jamás me había dirigido a ella. Ni en primero ni en lo que iba de segundo. A lo mejor ella prefería que le dijera "Sánchez" y yo diciéndole "Cordelia".

—Cordelia está bien.

De repente me pareció humana. Pero por muy poco tiempo. Abrió su cuaderno y sacó unas hojas de computadora con unos esquemas. Para morirse. Pero luego lo pensó mejor y volvió a guardarlas en su cuaderno.

—¿Qué tienes pensado, entonces?

—Bueno... se me ocurrió una cosa. A ver cómo la ves. Una tía del Cuarenta tiene un departamento que nadie usa. Se supone que ahí se aparece el espíritu de un zapatero. El plan es que vayamos y lo fotografiemos. A lo mejor el sábado acabamos. ¿Cómo ves?

Me volvió a mirar como si yo no fuera más que un microbio. Sacó sus hojas de computadora casi con flojera.

—Hice el planteamiento en *Power Point*. Luego te lo paso por correo o lo copio en tu USB.

Era una verdadera visión del infierno. Un diagrama con todo tipo de cuadritos y flechas de colores.

—¿Para qué es todo esto? ¿Qué tiene de malo mi plan?

—Que no se ajusta a ningún modelo científico.

—El chiste es demostrar que existen los fantasmas, ¿no? Pues con mi plan lo conseguimos en dos patadas sin tanto cuadro ni tanta flecha.

—Tenemos que dar formalidad a la investigación. Tiene que ser sistematizada, organizada y objetiva. Si no, no va a tener nada de científico. Como tú lo planteas, parece un estúpido juego de cazafantasmas.

—Y como tú lo planteas, parece tan divertido como tener el papel protagónico en un funeral.

De repente me quedó claro por qué nadie se juntaba con ella. A lo mejor tenía una especie de imán inverso o un campo de fuerza maligno que repelía toda forma de vida hasta por un kilómetro a la redonda.

Sonó la chicharra y nosotros todavía ni empezábamos. Quedamos de seguirle en el segundo recreo, pero a mí ya me dolía la cabeza. Hubiera deseado que ocurriera un terremoto y nos sacaran a todos de la escuela antes de la una de la tarde. Pero no pasó nada. Cuando tienes mala suerte, tienes mala suerte. Llegó la hora del segundo recreo y volvimos a quedarnos solos.

—A ver, Gumaro... —ahora me hablaba como si yo fuera un niño de kínder, o más bien, como si fuera un microbio que nunca salió del kínder—. Tenemos que comenzar por identificar el problema. ¿Cuál es la pregunta fundamental que queremos resolver?

Ja. Esa sí me la sabía. Ahora yo también podía tratarla como microbio que se chupa el dedo.

—Fácil: ¿Existen los fantasmas?

—Entonces primero hay que definir qué es un fantasma —dijo con fastidio.

—Pues es el alma de una persona que se murió y que vaga en pena por el mundo —hasta yo me sorprendí de mi súper definición.

—¿Y cómo demuestras que eso existe? ¿De qué sustancia están hechos? ¿Cómo verificas la presencia de uno? ¿Qué aparatos indican, sin margen de error, que hay un fantasma en el campo de estudio?

Ahí estaba de nuevo con sus rollos del Discovery Channel. Me dieron ganas de pegarle con una pelota y gritar “¡número siete!”. Me dieron ganas de fusilar a alguien. O de que me fusilaran a mí.

—De acuerdo con la teoría de Neil J. Salkind, primero hay que identificar el problema, luego, los factores importantes, luego...

Todo me daba vueltas. Preferí detener la masacre.

—A ver, Sabelotodo...

Se me escapó, la verdad. Y me arrepentí de inmediato. No dijo nada, pero el daño ya estaba hecho. Me miró como si fuera el virus de los hongos de las uñas de los pies de los microbios.

—¿Por qué no simplemente voy a la casa de la tía del Cuarenta, me espero a que se aparezca el espectro, le tomo una foto, tú la validas y acabamos con esto?

—Mira, Cabeza Hueca... —ni modo de no aguantarme, si yo había empezado—. Por mí, puedes hacer lo que te dé la gana. Pero no pienses que voy a dar validez a tu estúpido experimento.

Volvimos a quedarnos en silencio un ratotote. Fue como si el tiempo se hubiera detenido. A lo mejor así fue, y estuvimos ahí unos 50 años, envejecimos y estuvimos a punto de morir. Al menos así me lo pareció, aunque seguramente sólo pasaron dos minutos. Es lo que te ocurre cuando estás con alguien con quien el tiempo se arrastra en vez de avanzar.

—¿Lo sabes, no? —dijo de repente.

—¿Qué es lo que sé?

—Sabes perfectamente que esto es una tontería. Que los fantasmas no existen y que todo esto no te va a servir de nada. Lo sabes, pero te gusta hacerte el tonto.

Si creen que esto me molestó, es que no conocen a tipos como yo. He escuchado cosas peores en días más soleados. En ese momento, lo único que yo quería era que sonara la chicharra. Y aunque el destino puede ser todo lo desgraciado que ustedes quieran, a veces también se distrae. La chicharra por fin emitió su glorioso escándalo, nuestros compañeros no tardaron en aparecer por la puerta y yo agradecí al cielo, por segunda vez en mi vida, que se terminara un recreo.

Sobre la existencia de los fantasmas

**Reporte Número 3**

3 de diciembre

Prof. Sergio Martorena R.

P R E S E N T E

Puesto que nuestros avances son prácticamente nulos a tres días del supuesto inicio del proyecto, estoy pensando en optar, al menos en principio, por un método de observación científica en el que se privilegie la sensopercepción.

Puesto que el líder de proyecto insiste en observar el fenómeno y dejar de lado la medición precisa del mismo (evadiendo las reglas básicas del método científico desde Descartes y Galileo), acaso le sugiera que hagamos eso como punto de partida. De otra manera, temo que nunca podré iniciar mi informe debidamente.

Atentamente,

Cordelia Sánchez Sanabria

Grupo 202

## Jueves 4 de diciembre

Queridos amigos científicos:

Siendo las tres de la mañana del viernes 5, redacto mi informe del día de ayer porque al fin hicimos un poco de investigación de campo. Los resultados fueron poco satisfactorios, para qué engañarnos, pero supongo que así es como se inicia cualquier labor en nombre de la ciencia. Me imagino que Edison se enfrentó a algo así cuando inventó la penicilina.

Eran las seis de la mañana cuando, como todos los días, me despertó mi mamá, quien, para que lo sepan, tiene el récord mundial en despertar catatónicos a gritos. Pongan a mi mamá junto a dos orquestas de mariachis y ella les gana de calle.

—¡Gumaro! ¿De qué te sirve el maldito despertador si no le haces caso?

Es verdad. El reloj de mi cuarto (para mayor información, una casa/hongo con un par de duendes saludando desde la puerta) puede despertar antes a los vecinos de Coyoacán que a mí. Pero para eso tengo a mi mamá. Entre ella, que puede despertar hasta una piedra, y yo, que tengo el sueño de piedra, hacemos un gran equipo.

Cuando por fin me despabilé, algo hizo clic en mi mente: "El último alumno de esta escuela que no era un panquecito remojado", dijo Martorena, "se graduó hace cinco años".

¡Claro! Había una posibilidad, aunque remota, de descubrir el significado de los panquecitos remojados por otro lado. Bastaba dar con el susodicho, hacer la comparación entre él y los demás alumnos, sacar la conclusión y feliz Navidad. ¿Qué habría hecho para no ser un panquecito remojado? De pronto me quedó claro que el mote no era un apodo cariñoso, sino, muy por el contrario, burlón. Algo de bueno debe de haber en no ser un panquecito remojado. Y sólo un alumno lo había logrado en los últimos cinco años.

El recuerdo regresó al fondo del baúl cuando mi mamá volvió a aparecerse en mi cuarto.

—¡Por el amor de Dios, Gumaro! ¿Se puede saber qué demonios haces?

Me había distraído y, en menos de lo que se los cuento, ya tenía *Harry Potter y el prisionero de Azkaban* en las manos. Es algo que me pasa muy seguido. En un momento estoy pensando en el panquecito sin remojar, y al otro aparecen Nick Casi Decapitado y el Barón Sanguinario flotando por los pasillos de Hogwarts.

No es algo que me enorgullezca. Mi afición por los libros nació cuando iba en cuarto de primaria, una vez que a mi mamá se le acabaron las cosas que castigarme. Sólo le faltaba prohibirme respirar. Me castigó la tele, el estéreo, los videojuegos, la computadora, las golosinas, el teléfono y las salidas a la calle. Así que, para no acabar haciendo buzos en la taza del baño, me fui a parar frente al librero de mis papás y agarré el que me pareció menos aburrido. Se trataba de *La feria*, de Juan José Arreola. Creí que se trataba de la Montaña Rusa y el Ratón Loco, pero nada de eso. Ésa era una feria muy distinta. Me costó mucho trabajo leerlo, pero igual lo acabé. Y como los castigos seguían, me seguí con otros libros, y así me fui aficionando a leer. Desde entonces, el viejo me compra casi cualquiera que le pido. Y así es como me he hecho de tantos. Casi 200, todos míos. De eso sí que me enorgullezco, pero en ese momento, a mi mamá no le estaban causando mucha alegría que digamos.

—¡Ni siquiera te has metido a bañar, Gumaro! ¡Eres increíble! ¡Apúrate, que ya nos tenemos que ir!

Dejé a Harry Potter en mi librero y obedecí a mi mamá. Nos fuimos de volada por el Cuarenta. En el trayecto, me hice a la idea de que, mientras descubría la verdad acerca de los panquecitos remojados, tendría que tomar cartas en el asunto. El otro asunto, pues.

—Cuarenta, ¿habrá chance de que hoy vayamos al departamento vacío de tu tía Roberta?

El Cuarenta estaba jugando con su PSP y no me hizo mucho caso. Tuve que arrebatarle el juego, ponerle pausa y repetir la pregunta.

—¿Para qué quieres regresar si ya sabes que no hay nada? —objetó.

—¿Tienes una mejor idea de dónde podamos encontrar un fantasma?

—*¿Podamos?*

—¿Qué, no me vas a acompañar?

—No, no puedo.

—¿Pues qué tanto tienes que hacer, mugre Cuarenta?

—Le voy a ayudar a Tania con una tarea.

—¿A las 11 de la noche? Estás loco.

—¿Y adónde crees que vas a ir a las 11 de la noche, Gumaro? Digo, si se puede saber.

Ésa fue mi mamá, que lo había escuchado todo. A veces se me olvida que mi mamá puede estar oyendo el radio y 17 conversaciones al mismo tiempo sin perder detalle de nada.

—Es para un trabajo, Ma. Te lo juro. Pregúntale a quien quieras. Pregúntale al Cuarenta o al profe Martorena. Es más, bájate y pregúntale al Dire.

Me volteó a ver con flojera. Yo creo que ya sabía que era en serio. O que no valía la pena discutir. Me echó unos ojos de "allá tú, es tu vida". De seguro ha estado tomando clases particulares con el mismísimo Dire.

—Está bien, pero que los acompañe Avilita.

Avilita es el papá de mi mamá, un viejito súper buena gente que siempre nos hace el paro al Memo y a mí. Basta con pedirle que diga que va a andar con nosotros para que nos den permiso de ir al Amazonas a jugar futbol con los jíbaros. Con esa coartada, el asunto estaba muerto de la risa. Bastaba con hablarle y hacerlo mi cómplice.

Lo que ahora imperaba era convencer al Cuarenta o a quien fuera para que me acompañara, que por mucho que se tratara de una investigación científica, nadie se mete solo a un departamento supuestamente embrujado ni estando mal de la cabeza.

Le rogué al Cuarenta desde que nos bajamos del coche hasta que llegamos al salón de clases.

—Te pago —fue lo último que me dejó decir.

—Ajá, Gugu. Si me dieras 50 centavos por cada vez que me has dicho "te pago", ya sería multimillonario.

Está comprobado científicamente, queridos amigos, que tus camaradas incondicionales siempre son los que te dan con la puerta en la cara. Se los juro.

Como el profe de franchute no había llegado, me animé a pedirle el favor a Marissa. Me imaginé que, en una de ésas, me decía que sí y yo mataba dos pájaros de un tiro, si me entienden. Pero a que no adivinan quién me brincó encima como tigre de Bengala justo a unos pasos del pupitre de Marissa.

—A ver, Gutiérrez... está bien. Por algo hay que empezar. Ya llevamos tres días de retraso y si no hacemos algo, no vamos a tener nada para el 17. ¿Cuándo quieres que vayamos a la casa de la tía de tu amigo?

Y supongo, queridos amigos científicos, que también se podrán imaginar por qué sentí que un escalofrío me recorría la nuca. De imaginarme a solas con Marissa en un sitio oscuro a imaginarme a solas con Cordelia en un sitio oscuro hay una distancia tan grande como la que separa el cielo del infierno.

—¿"Vayamos"?

—Sí. Vayamos.

Los más idiotas del salón ya empezaban a hacer ese ruidito de burla que, a pesar de carecer de palabras y de que sólo es una especie de "i" cantada, quiere decir la misma cosa aquí y en la Patagonia: "Mucho ojo: esos dos están planeando su boda en nuestras narices, no pierdan detalle". Lo bueno es que pude darle un zape al Chóforo. Lo malo es que todo el mundo sabe, aquí y en la Patagonia, que eso sólo les da más cuerda a los idiotas burlones.

—Mira, Gutierréz, si voy a dar fe de tus tontos experimentos, ni modo de hacerlo por correo —gruñó la fiera—. Tengo que estar ahí.

Afortunadamente, en ese momento llegó el profe y todo volvió a la normalidad durante 40 minutos. Sin embargo, al cabo de este tiempo, cuando terminó la clase, la señorita simpatía volvió al ataque.

—Ya te dije que este encarguito tampoco me hace nada feliz, pero no pienso defraudar al Director ni al profesor Martorena. Así que dime cuándo vamos a ir.

En ese momento ya estaba considerando seriamente aprovechar la clase de computación para ponerme a buscar escuelas en Internet, pero entonces mi gran camarada el Cuarenta vino al rescate.

—Hoy mismo, Cordelia —exclamó levantándose de su pupitre—. El Gugu está pensando ir hoy en la noche a la casa embrujada. Yo tengo copia de las llaves.

Con amigos así, para qué quiere uno el cáncer y la lepra. Mal plan.

—No es cierto, Cordelia. Está inventando —dije, intentando zafarme, pero el daño ya estaba hecho.

—Bueno. Al rato me das la dirección y me dices a qué hora nos vemos ahí.

Todo el camino fui estrangulando al Cuarenta, pero ni así dejaba de burlarse. Sólo dejó de reírse cuando saqué mi arma secreta del arsenal. Era algo que pensaba utilizar cuando fuéramos grandes y yo necesitara dinero para fugarme del país, pero era una situación desesperada.

—O me acompañas en la noche, o todo el planeta va a ver tu foto con Piquitos.

Piquitos es un pingüino de peluche con el que el Cuarenta duerme desde que tenía cinco años. Ha tenido que llevarlo a escondidas a todos los campamentos y lo abraza en el interior de su *sleeping*. La neta, a mí qué me importa si duerme con un muñeco de peluche o con una licuadora de siete velocidades, pero nadie habría desperdiciado la oportunidad de fotografiar a su mejor amigo abrazando un muñeco y chupándose el dedo. Vamos, ni el Papa. Mucho menos yo.

—Me dijiste que la habías borrado, maldito Gugu.

—Nos vemos a las nueve de la noche en tu casa.

Vaya que dejó de reírse. Y de dirigirme la palabra.

A las nueve de la noche, ya estaba yo frente a la puerta del edificio donde vive el Cuarenta. Toqué el timbre y, casi al instante, escuché su voz malhumorada:

—Ahí voy.

Cuando apareció con su carota de odio a muerte, me dio como culpa y preferí decirle:

—No es cierto, Cuarenta. Esa foto la borré hace mucho. Pero qué querías que te dijera. ¡Me ibas a mandar solo a la casa de tu tía con la Gordelia!

Me miró con suspicacia. A lo mejor se dio cuenta de que le estaba mintiendo, pero tendría que ser muy tonto como para desperdiciar un arma de ese tamaño. Cuando seamos grandes y necesite ayuda para salir de la cárcel, quizá pueda usar ese método de persuasión.

Caminamos hasta el taxi del señor Medina, que era vecino de mi papá cuando vivía en Tlatelolco y que siempre nos ayuda cuando necesitamos que nos lleven a algún lado. Es un señor como de la edad de mi viejo y, según yo, es capaz de mantenerse callado durante siglos enteros. A mí me consta que no es mudo porque, una vez, casi nos choca un trailero y les juro que jamás había oído tantas groserías juntas en mi vida. Con todo, mi papá dice que es un modelo de confianza y discreción.

Nos subimos al taxi y le dije al señor Medina adónde íbamos. El Cuarenta seguía con su carota.

—Total —dije sin mucho ánimo—. Con Cordelia ahí, el zapatero ni siquiera va a querer aparecer. Hasta a él le va a dar miedo, vas a ver.

Conseguí que se riera y las cosas se suavizaron entre nosotros. Fue una suerte, porque no quería llegar al punto de hacerle mi imitación de los *Huevo Cartoons*, que es mi último recurso para hacer reír a cualquier baboso que se hace el sentido.

No tardamos en llegar al lugar. El famoso departamento en el que habitaba el zapatero del terror está en un edificio súper viejo. La tía Roberta no lo alquila ni nada porque, según ella, un día se va a pelear a muerte con sus hermanas solteronas y quiere tener adónde llegar cuando esto ocurra.

Le pedí al señor Medina que nos recogiera a la una de la mañana. En eso, nos atacó el dulce aroma del carrito de hamburguesas que se para en la esquina de esa calle. Nos acordamos al mismo tiempo de que lo mejor de aquellos días de cazafantasmas eran los atracones de hamburguesas que nos dábamos. A lo mejor por eso no nos importó que el maldito zapatero no se apareciera nunca.

Fuimos a pedir seis para llevar, patrocinadas por el billete de $200 pesos que me dio mi mamá para pagarle al señor Medina. Estábamos tan contentos que ni siquiera nos pesó ver llegar a Cordelia.

—Hola.

—Hola.

Esa fue toda nuestra conversación. A lo mejor tanto el Cuarenta como yo estábamos pensando que no habíamos comprado hamburguesas para ella y nos íbamos a ver muy mal si no le ofrecíamos una, cuando menos. Pero nadie dijo nada. Después de nuestro caluroso saludo, el Cuarenta abrió la puerta del edificio y subimos en silencio hasta el segundo piso. Al instante, apareció la viejita del seis, una señora que tiene más arrugas en la cara que un elefante en la rodilla.

—Buenas noches, señora... —dijimos el Cuarenta y yo al mismo tiempo.

—Ah, son ustedes. ¿Qué andan haciendo por aquí?

—Lo mismo de la otra vez, señora.

—¿En serio? Me da gusto, porque hay días en que de veras no aguanto a don Chema.

Para que lo sepan, amigos, don Chema es el mentado zapatero. Como ella lo conoció, se refiere a él con mucha familiaridad. El Cuarenta y yo nos miramos de reojo, alarmados. Creo que ambos notamos la súbita palidez en nuestros rostros.

—¿Lata? ¿A qué se refiere? —pregunté.

—A eso de la media noche, don Chema empieza a clavar con su martillo, igual que cuando vivía. Ya traje al padre Luis el otro día, pero ni así se ha querido ir a descansar en paz. Si lo ven, les encargo que le digan que yo me acuesto a las 10:30, por favor.

Ya nos veía al Cuarenta, a Cordelia y a mí pidiéndole al espectro que tuviera un poquito de consideración y terminara su trabajo antes de que la vecina se fuera a dormir, para que no la molestara.

La señora del seis cerró la puerta, el Cuarenta terminó de correr los cerrojos y entramos en el departamento. Es chico, pero está amueblado y todo.

—¿Qué piensas, Sánchez? —pregunté mientras ponía mis hamburguesas y mi refresco sobre la mesa—. ¿No te da un poquito de curiosidad ver al fantasma arreglando zapatos de ultratumba?

—Todo tiene una explicación, Gutiérrez —gruñó. Luego se quitó su chamarrota y la dejó sobre la mesa. De inmediato se puso a anotar el testimonio de la señora del seis.

Yo le hinqué el diente a mi primera hamburguesa, pero no se me hizo onda y tuve que hablar:

—¿Quieres una hamburguesa?

Estaba pensando que el Cuarenta y yo tendríamos que echarnos un volado para ver quién le regalaría una, pero corrimos con suerte.

—No, gracias. Ya cené —bufó, y siguió haciendo anotaciones en su cuaderno.

El Cuarenta y yo empezamos a hablar de mil tonterías. Sólo hasta que amenazamos con demostrar quién podía escupir más lejos, Cordelia se atrevió a abrir la boca. Todo ese tiempo había estado deambulando por el departamento, mirando los cuadros y los muebles sin tocar nada.

—¿Siempre hablan de cosas tan interesantes?

—No —repliqué—. A veces hablamos de cosas más interesantes, como de quién es el más castroso del salón. ¿Quieres que te diga quiénes son los nominados?

Me miró como si yo fuera el moco de un microbio y siguió paseándose por el departamento. Como se hizo un largo silencio, decidí que lo mejor sería iniciar la investigación. Después de todo, ya casi eran las 11.

—Creo que ya es hora de apagar las luces.

—Me sorprende tu metodología, Gutiérrez —dijo ella con sarcasmo.

La neta, no se me antojaba nada apagar la luz estando Cordelia ahí, pero no había más remedio. El zapatero nunca se pondría a arreglar zapatos con la luz prendida, así que dejé todo en penumbra.

—Hay que sentarnos en aquel rincón, al lado del librero —sugerí.

—¿Por qué? —protestó Cordelia.

—Porque es el más apartado, pero también es de donde se alcanza a ver la estancia, el cuarto y el baño. Así podemos disimular nuestra presencia para que el zapatero se anime a aparecer.

Para mi sorpresa, accedió y los tres nos sentamos en el sitio que yo había señalado. El aburrimiento se nos echó encima casi de inmediato, así que, para pasar el tiempo, preparé la cámara de mi celular.

Como a los 15 minutos, Cordelia abrió su bocota:

—Esto es una verdadera estupidez.

—A ver si te lo sigue pareciendo cuando se aparezca don Chema —la amenacé—. Te apuesto que vas a mojar los calzones.

Dieron las 11:30. Al Cuarenta le ganó el sueño y comenzó a roncar. Y eso que no traía a Piquitos. Lo desperté de inmediato para que no espantara al zapatero.

11:40.

11:45.

Minutos antes de la media noche, cuando empecé a pensar que, en efecto, esto era una completa pérdida de tiempo, ocurrió.

Se abrió la puerta del departamento y los tres contuvimos el aliento.

Pero no era don Chema; eran un hombre y una mujer. Y se estaban besando con una pasión de ésas que sólo se ven en las películas.

No prendieron ninguna luz. Así, abrazados y sin dejar de besarse, fueron chocando contra los muebles hasta llegar a la habitación.

Lo que hicieron ahí no tiene nada de paranormal ni de científico, pero sí fue muy educativo. El Cuarenta y yo nos pusimos de pie para observar mejor, y los dos opinamos que era una lástima que hubiera tantas cobijas de por medio.

No tardamos en identificar que los martillazos del zapatero no eran sino el golpeteo de la cabecera contra la pared de la señora del seis.

Me pregunté qué tan buena idea sería pedirle a los visitantes que separaran un poquito la cama de la pared o que intentaran llegar antes de las 10:30 por respeto a la señora de al lado, pero era evidente que en ese momento no habrían hecho caso de nada, así diera inicio una guerra nuclear.

Entonces, súbitamente, cesó el martilleo y, tan silenciosos como se quedaron ellos dos, nosotros volvimos al pasillo y caminamos hacia la entrada del departamento. A Cordelia no se le veía por ningún lado; seguramente el espectáculo no le había atraído tanto como a nosotros y se había ido.

Desde que salimos del departamento y hasta que llegamos a nuestras casas, el Cuarenta sólo dijo:

—Órale.

Yo estuve completamente de acuerdo con él.

Sobre la existencia de los fantasmas

**Reporte Número 4**

4 de diciembre

Prof. Sergio Martorena R.
P R E S E N T E

Recién hicimos nuestra primera investigación, si puede llamársele así a lo que ocurrió ayer en un sitio en el que supuestamente se había detectado actividad sobrenatural. Lo único que puedo concluir de dicha experiencia es que, en verdad, el prejuicio cognitivo es contra lo que más tendremos que luchar.

En los anexos encontrará el informe detallado. Me disculpo de antemano por las descripciones finales, pero así fue como ocurrieron los eventos.

Atentamente,
Cordelia Sánchez Sanabria
Grupo 202

## Viernes 5 de diciembre

Queridos amigos de la comunidad científica:

Ayer resolví el misterio del zapatero espectral. Resulta que un primo del Cuarenta —que es un mujeriego perdido— lleva cinco años usando el departamento de la tía Roberta para culminar sus citas románticas. Y ayer le caímos con las manos en la masa. (Es una forma de hablar, amigos científicos.)

Lo cierto es que el Cuarenta, que a veces puede ser un genio de los negocios, llamó al primo hoy por la tarde para decirle que estaba enterado de todo. Creo que hasta entró en detalles, lo cual me pareció un poco excesivo, pero me quité de encima toda culpa cuando me enteré de que el famoso primo nos daría $1 000 pesos en gratitud por nuestro silencio: $500 para el Cuarenta y $500 para su excelentísimo servidor.

Como quien dice, un dineral, amigos científicos. Un dineral. Y antes de que se me fuera en estupideces, llamé a Marissa para invitarla a salir.

He de decirles que no resulta muy halagador que la chava que te gusta te diga "¿Quién te dio mi teléfono, Gugu?" cuando le llamas, sobre todo si fue ella misma quien me dio su número hace un año, cuando hicimos aquel trabajo en equipo. Pero en fin, librado ese escollo, estuvimos platicando como 20 minutos, aunque, al final desafortunadamente no quedamos en nada.

Ustedes disculparán estas distracciones, amigos, pero no se puede hacer a un lado la posiblidad de llegar a tercera base con una chava como Marissa. Y aunque me dijo que no podía ir conmigo al cine, es posible que vaya mañana a su casa y que, al calor de una charla amistosa en su habitación, mientras vemos sus álbumes fotográficos y su colección de muñecos de peluche, una cosa lleve a la otra. Total, no pasa de que me diga "¿Quién te dijo dónde vivo, Gugu?", a pesar de que fue ella misma quien me dio la dirección.

Fuera de eso, el día de hoy fue de lo más normal. Cuando nos bajamos del auto al llegar a la escuela, el Cuarenta me confesó que había reconocido a su primo desde que entró en el depa y que en ese momento había fraguado un plan para hacerse de un dinerito. Y a lo largo del día, entre clase y clase, estuvimos comentando todo lo que habíamos visto en casa del zapatero (únicamente con mero interés científico, amigos, palabra). Fuimos la sensación entre el alumnado masculino durante los dos recreos. Hasta Martínez Cerecedo se nos pegó.

Naturalmente, zafarme de Cordelia no fue fácil. Pero ella tampoco se mostró muy interesada en hostigarme. Antes de que empezara la clase de Formación Cívica, se acercó a mí.

—¿Qué tal el zapatero de ayer, Sabelotodo? —la molesté mientras daba una mordida a un Pingüino que le gané al Picachú en un volado.

—Mira, Gutiérrez, a ti puede parecerte un chiste, pero para mí está claro. Los fantasmas no existen y tú no vas a poder probar nada de aquí al 17. Así que apúrate y ve buscando escuela.

—19 de diciembre, genio. Ayer también te equivocaste. Tengo que entregar mi informe el 19.

—Tienes que entregarlo el 17 porque yo me voy de viaje ese día. Así que tienes dos días menos. Mayor razón para que te apures.

Sentí que se me atragantaba el Pingüino.

—¿Y yo qué culpa tengo de que tú te vayas de viaje? —le reclamé.

—Hazle como quieras. Es un viaje que tengo planeado hace mucho tiempo y no lo voy a cambiar por ti.

Era 5 de diciembre. Nos quedaban 12 días. No estaba tan mal. ¿Qué tan terrible sería sugerirle que nos tomáramos un descanso y volviéramos a la monserga del proyecto por ahí del 10 o del 11? Pero me contuve. No tenía ganas de aguantar sus rollos en torno a la responsabilidad, el deber y esas cosas.

—La tontería de ayer me hizo ver una cosa. Si te dejo solo, no vas a llegar a ningún lado. Vas a perder tu tiempo y, de paso, el mío —sentenció y se cruzó de brazos—.

Así que voy a averiguar qué se hace en estos casos. No debes ser el primer idiota que intenta demostrar que los fantasmas existen. Necesitamos apegarnos a algún procedimiento y conseguir equipo especializado. Investigo y te aviso.

Eso me sonó a "te voy a dejar libre para que hagas lo que quieras un rato mientras yo hago la chamba difícil", cosa que me dio un montón de gusto. A lo mejor por eso fue que, cuando ya me había dado la espalda y se dirigía a su pupitre, le dije:

—No te desanimes, Sánchez. Las mismas broncas debe haber tenido Edison cuando inventó la penicilina. Vas a ver que al final vamos a demostrar la existencia de los fantasmas y todos nos van a amar. Vamos a ser los héroes del Instituto Académico Superación.

Se dio la vuelta y me volvió a enfrentar.

—Yo no quiero ser héroe ni necesito que nadie me ame. Lo único que me importa es hacer BIEN mi trabajo. Y para que lo sepas, la penicilina NO la INVENTÓ Edison. La DESCUBRIÓ Fleming. Tarado.

—Castrosa.

—Inútil.

—Ñoña.

Al final, cada quién se fue a su lugar. Yo me sentía súper contento porque no iba a tener que padecerla durante un buen rato. A lo mejor se tardaba unos cinco o seis días en averiguar lo que quería. Mientras tanto, yo volvería a tener una vida normal. Para muestra, el examen sorpresa de inglés. Como todo buen estudiante normal, protesté a gritos cuando el profe de inglés nos dijo que sacáramos una hoja. Y como todo estudiante normal, terminé súper rápido porque no vale la pena hacerle al tonto más de media hora si ya sabes que no sabes.

Me salí al balconcito a esperar a los demás. La segunda que terminó fue ya-saben-quién. Luego salieron el Dexter y el Chore, que son los más matados del salón y, en cuarto lugar, el Grumo, que sabe bastante inglés. No me pregunten cómo, pero fue en ese momento que se me ocurrió una idea.

—Oye, Grumo, ¿tus hermanos estudiaron en esta escuela? —pregunté.

—Ajá.

—¿Y alguno de ellos te lleva cinco años o algo así?

—Leticia me lleva tres, y Rogelio, seis.

Hice un cálculo. Si Leticia le lleva tres, significa que, hace tres años, ella estaba en segundo. Y que, hace dos, iba en tercero. En cambio, Rogelio... hace seis años estaba en segundo. ¡Y hace cinco estaba en tercero! ¡El panquecito sin remojar había sido compañero de Rogelio!

—Grumo, prepárate, porque te voy a dar un beso.

—No empieces, Gugu.

No era para menos. De seguro Rogelio sabía quién era el panquecito sin remojar, pues había sido su compañero de generación. Si conseguía hablar con él, tendría mi reinscripción asegurada.

—¿Habrá modo de que hable con tu hermano Rogelio? —pregunté.

—¿Para?

—Pues para que me diga el nombre del panquecito sin remojar.

Como no captó al instante, tuve que explicarle el lío en el que estaba metido y el súper cálculo que acababa de hacer.

—Lo malo es que está estudiando informática en Los Ángeles y no viene hasta Navidad.

Hasta Navidad era demasiado tarde, pero ustedes saben, queridos amigos globalizados, que ésta es la era de la comunicación a distancia.

—Entonces dame su correo.

Me miró con desconfianza, pero luego me lo dictó y yo me lo apunté en una mano. Muerto de la risa. En una de ésas, descubro el misterio antes de que Cordelia termine con su indagación y no volvemos a dirigirnos la palabra nunca más.

No le di un beso al Grumo pero sí me puse a bailar un vals con él. Obviamente me aventó luego, luego, pero como estaba seguro de que me había resuelto la vida, no lo solté hasta que salió el profe de Inglés cargado de exámenes. Entré a recoger mis cosas y me fui al salón de Tutorías.

Me sentía realmente dichoso. Pronto tendría $500 pesos y mi libertad de vuelta. A lo mejor por eso iba biloteando un pasito como de tap y de hip-hop que es de mi propia invención y que, en cualquier momento, pienso patentar y hacerme rico. Palabra que es mejor que el de Michael Jackson.

Entonces dos de tercero se me pararon enfrente, bloqueándome el paso. Uno de ellos parecía que se había tragado una carpa de circo.

—¿Tú eres el Gugu?

—Depende.

—Soy hermano de Chucho Canseco.

Alias el Chóforo, pensé, y le di la mano.

—Nos dijeron que andas investigando la existencia de los fantasmas.

—Ajá.

—Esto te puede interesar.

Se aproximó a mí y sacó su celular. Al pulsar un botón, comenzó a correr un video. Se veía un cuarto con muy poca luz y se escuchaba el sonido de la respiración agitada de alguien que caminaba. Lo que se apreciaba en la pantalla era poco nítido y, si agregamos a esto que el que había tomado el video caminaba como si tuviera ganas de ir al baño, no se entendía nada de nada. Como a los 10 segundos se escuchó un grito y luego se produjo una oscuridad total.

—Ah —dije, y seguí mi camino. Siempre llego tarde a Tutorías y, bien pensado, es la única materia a la que nadie debería llegar tarde porque puedes hacer lo que se te antoje si no tienes tareas atrasadas o exámenes. Y yo tenía pensado dormirme un rato sobre el pupitre.

—Creo que no te fijaste bien —insistió el hermano del Chóforo, deteniéndome con una de sus grandes manos.

Volvió a accionar el video y yo me lo soplé otra vez. Todo el mundo sabe que no es buena idea contrariar a alguien que te triplica la estatura. Esta vez puse un poco más de atención y de repente sentí que un súbito escalofrío me recorría la espalda. En el momento del grito, se veía la sombra de una niña de ojos blanquecinos y cabello enmarañado.

Al notar mi reacción, guardó el celular y me dijo:

—Te podemos llevar a la casa en la que se aparece este espectro.

Los estudié con detenimiento. Parecían personajes de una película de muertos vivientes. El chavo que acompañaba al hermano del Chóforo tenía cara de haberse jugado el alma con el Diablo y haber perdido. Era tan pálido que hasta la camisa blanca del uniforme se veía más oscura que él.

—Yo soy el Gólem —confesó el grandote—. Y aquí, mi amigo, es el Fangoria. Si requieres ayuda, nosotros somos los indicados. Hemos tenido todo tipo de contacto con el Más Allá y podemos iniciarte de un modo que jamás olvidarás.

Tal vez eran mi salvación. Tal vez realmente podía acompañarlos hasta las puertas del averno y terminar mi informe en dos patadas. Pero hay de intereses científicos a intereses científicos, queridos colegas. Y la verdad, no se me antojaba mucho enfrentar a la niña de ojos muertos sin haber intentado contactar a un fantasma un poquito más tradicional, como uno de sábana. Quizás el Fangoria había perdido el alma en uno de esos *tours*. En pocas palabras, no me enloquecía la idea de acompañarlos.

—Gracias. Lo voy a pensar —dije, abriéndome paso entre ellos.

Si quieren saber la verdad, yo tampoco esperaba encontrarme al zapatero del terror el día de ayer. En el fondo, sabía que era una patraña. Por eso, ver un espíritu supuestamente real me puso la carne de gallina. Me di cuenta de que, si de veras voy a concluir mi informe de manera satisfactoria, a lo mejor tengo que lidiar con niñas espeluznantes con cabellos de bruja.

De todos modos, en ese momento el balón estaba en la cancha de Cordelia, así que me sacudí los pensamientos de espíritus horripilantes y me eché un sueñito del que jamás habría salido si el Cuarenta no me hubiera despertado a los jalones cuando todos habían abandonado el salón.

Y hablando de sueño, creo que es buen momento para recuperar un poco del que sigo debiéndole a mi cuerpo. Como sea, mañana va a ser un día de pelos. Voy a ir temprano a casa del Cuarenta por mis $500 pesos y, por la tarde, le voy a caer a Marissa en su depa. En una de ésas, mañana anoto mi primera carrera.

Si los fantasmas existen, todo es posible.

Sobre la existencia de los fantasmas

**Reporte Número 5**

5 de diciembre

Prof. Sergio Martorena R.
P R E S E N T E

Estuve haciendo un análisis de mi entrega del día de ayer, y pensé que tal vez tengamos que seguir los lineamientos de Popper. Dada la hipótesis en turno, probablemente avanzaríamos más rápido si, en vez de intentar demostrar nuestra conjetura, nos empeñáramos en refutarla. Estoy convencida de que, a través de la falsación, seríamos más eficientes si partiéramos de la base de que los fantasmas NO existen.

De cualquier modo, esta no es mi investigación, por lo que no me corresponde dar ese giro. Lo sugeriré al líder, pero, si creo empezar a conocerlo, sé de antemano que se negará rotundamente. Finalmente, lo que desea es demostrar lo contrario. Así que procuraré no entusiasmarme con la idea.

Por ello preparé este compendio de posibles rutas a seguir. Hice un poco de investigación en el ciberespacio y me percaté de la gran cantidad de individuos que andan en pos de lo mismo. Todos con pésimos resultados, si me permite el apunte. No obstante, dado que los cazafantasmas del mundo han desarrollado una especie de metodología para el fin, decidí adoptarla para dejar de sentir que este proyecto carece de rumbo por completo y así poder avanzar más concienzudamente.

Atentamente,
Cordelia Sánchez Sanabria
Grupo 202

## Sábado 6 de diciembre

Queridos amigos amantes del ajedrez,
los microscopios y los tubos de ensayo:

Permítanme confesar que, mientras avanzaba por las líneas enemigas del *Call of Duty,* estuve pensando si debía preparar mi informe de este día. Yo creo que hasta los científicos más sesudos descansan los fines de semana, ¿no? Pero entonces me acordé de que el Dire fue muy claro cuando dijo que quería entregas diarias y que "diarias" significa "todos los días".

Así que aquí estoy, tecleando mi informe sabatino para poder echarme a la cama lo antes posible y entregarme a mis dulces sueños con Marissa.

Sí, queridos amigos, dije Marissa. Marissa, Marissa, Marissa. Algún día compondré una canción con su nombre, la mandaré a los de Café Tacuba para que la graben y todo el mundo cantará, como yo, el nombre de Marissa desde la colonia Cuauhtémoc hasta Hong Kong. Pero vayamos en orden.

Me desperté temprano y me dispuse a servirme Zucaritas con leche, prender el radio y hacer una llamadita.

Me contestó Rebe, la hermana del Cuarenta.

—Hola, Princesa. ¿No está el Cuarenta?

—Ya te he dicho un millón de veces que no soy ninguna cochina princesa, Gugu.

La Princesa azotó el teléfono y llamó a René a gritos.

—¿Qué quieres a estas horas, Gugu? —dijo mi amigo incondicional.

—¿Ya tendrás la lana?

—No friegues. ¿Para eso me llamaste? Te dije que mi primo iba a venir como a las 10.

Colgó. Hay gente que tiene un carácter del demonio. Y a las ocho de la mañana, de los mil demonios. Estaba por terminarme mi segundo plato de Zucaritas acompañado de una rola buenísima de *System of a Down* de fondo cuando apareció mi papá. Ya estaba bañado, peinado y rasurado, listo para salir a su negocio de revistas de contaduría, que tiene desde hace más de mil años. La neta, no sé cómo es que alguien puede vender revistas de contaduría si sólo se me ocurre una cosa más aburrida que sentarse a leer una revista de contaduría, y es sentarse a cronometrar la velocidad con la que crece el pasto. Si yo tuviera que vender algo, preferiría vender aire embotellado en lugar de revistas de contaduría. Pero cada quien sus cosas. Y ni cómo criticar al viejo, si ni le va tan mal.

—¿Todo bien, Gumaro?

—Todo bien, pa.

Esa fue toda nuestra conversación. Tomó un vaso de jugo, miró su reloj de pulsera, me palmeó la espalda y salió de la casa. Honestamente, admiro al viejo. El día en que yo tenga la cuarta parte de lo que él tiene, me voy a tomar una foto de volada, pues sé que a lo mejor ese mismo día hago alguna estupidez y lo pierdo todo antes de irme a la cama.

Supongo que me asaltó ese pensamiento porque, mientras me volvía a servir Zucaritas, me vi reflejado en la vitrina del comedor con el cabello parado, la playera de Mickey Mouse metiéndose el dedo en la nariz que uso como pijama y la cara de perro apaleado, como si no fuera hijo del licenciado en administración de empresas que acababa de salir por la puerta.

Lo bueno es que en ese momento sonó el teléfono y me rescató de esos deprimentes pensamientos. Lo malo es que no se trataba del Cuarenta. ¿A quién demonios se le ocurre hablar a esas horas en sábado?

—Con Gumaro Gutiérrez, por favor.

—¿De parte de quién?

—De Cordelia Sánchez.

Si hubiera tenido siquiera la mitad del cerebro despierta, hubiera dicho "Número equivocado" o "Lo sentimos, señorita. Gumaro Gutiérrez falleció ayer en un accidente automovilístico".

—¿Quién te dio mi teléfono, castrosa?

—Se lo pedí a la señora Borbolla, inútil.

—Me voy a quejar. Eso va en contra de los derechos humanos del estudiante de secundaria.

—Haz lo que quieras. Hablo para decirte que tenemos que ir al Centro a comprar unas cosas.

—¿Al Centro? ¿Y qué diablos quieres comprar?

—Necesitamos instrumentos de medición. Ya estuve investigando y, para empezar, tenemos que comprar una brújula, un EMF y otras cosas.

—¿Qué es un EMF?

—Un medidor de campo electromagnético, así que lleva dinero —respondió con flojera—. ¿Dónde nos vemos?

—En el infierno —dije y colgué.

Hubiera preferido no ser tan grosero, pero no se me ocurrió una mejor respuesta. Además, ¿qué demonios le pasaba? ¿Sacrificar mi sábado y mi dinero? Prefería mil veces que me echaran de una vez de la escuela y que me mandaran a la guerra en Medio Oriente. Lo malo es que, como podrán adivinar, no tardó ni medio minuto en volver a llamar.

—A ver, chistosito —rugió—, no estamos en esto por gusto. Y a mí tu proyecto me interesa mucho menos que a ti, así que abre bien las orejotas: o compramos estos instrumentos o la investigación se va por la coladera. Yo puedo poner como $700 pesos. Tú pon lo que puedas y luego nos arreglamos. Nos vemos a las 11 en la esquina de Eje Central y República del Salvador.

—A ver, a ver, bájale a tu escándalo. Para empezar, no puedo salir porque estoy enfermo del estómago. Y, para acabar, no tengo ni 50 centavos.

Volvió el silencio. Oí un resoplido muy similar al que hacen los leopardos en *Animal Planet* después de haberse comido una cebra.

—A las 11 en la esquina de Eje Central y República del Salvador, ya te dije.

Colgó. Y yo, naturalmente, descansé. Porque las probabilidades de que yo estuviera en dicha esquina a las 11 eran aún menores que las de hallar vida inteligente bailando cumbias en Marte.

Me puse a ver la tele hasta que salió mi mamá de su cuarto, lista para iniciar su sábado. Se había arreglado como para un desayuno, lo cual me dio gusto, porque eso significaba que me quedaría en casa yo solo. En una de ésas, me animaba a buscar las escrituras y a venderla por Internet. Ja.

—Gumaro, ¿se puede saber si piensas bañarte en algún momento del día?

—Claro, Ma. Al rato.

—Vamos a ir a comer con Avilita —sentenció—, así que no quiero encontrarte en esa misma postura cuando regrese.

Ella salió y yo me quedé jugando a la ruleta de los canales con el control remoto. No había nada que ver, así que, en cuanto dieron las 9:30, me vestí de volada, agarré mis llaves y me fui a casa del Cuarenta.

Cuando llegué, ahí estaba el primo desayunando con toda la familia. A la luz del día, parecía inofensivo, como uno de esos oficinistas que uno juraría que no salen ni con su propia madre.

—Hola, Gumaro. ¿Ya desayunaste? —me preguntó la mamá de mi amigo.

—Sí, señora. Sólo vine por unos apuntes que me va a prestar René.

El Cuarenta me llevó a su cuarto con cara de "éste ya ni la amuela". Ahí me mostró los dos billetes de $500 que se acababa de agenciar. Parecían recién hechecitos.

—De pelos. ¿Qué te dijo tu primo?

—Que ni una palabra a mi tía o me enrollaba la lengua en las orejas. También dijo que ésta sería la PRIMERA y ÚLTIMA gratificación.

—De pelos.

—Estuve pensando que tú sólo te mereces $50 pesos, y eso porque ir a la casa de mi tía fue tu idea.

Queridos colegas, qué penoso es confesar que peleas con tu mejor amigo por dinero. Pero así somos los seres humanos. Algún día hagan un estudio científico y lo verán. Terminamos hechos bola con la colcha de la cama del Cuarenta, yo haciéndole una doble Nelson y él suplicando piedad. Al menos no tuve que amenazarlo con arrojar a Piquitos por la ventana.

—¿Y los apuntes? —preguntó la señora Estévez cuando salimos del cuarto.

No sé qué tienen las madres que no se les va una. Son mejores que los detectives de *La ley y el orden*.

—Ah, sí. Los apuntes.

Tuve que volver a la habitación y sacar un cuaderno de la mochila del Cuarenta. El primero que me encontré fue el de Historia.

—¿No quieres ir a Plaza Galerías? —le pregunté a mi amigo.

—No puedo —admitió, volviendo a sus huevos revueltos, que de seguro ya se habían enfriado—, quedé en ayudar a mi papá a arreglar el lavabo.

Se miraron como se miran los prisioneros y los carceleros. Y es que está comprobado que el papá del Cuarenta es el único hombre en el planeta Tierra que prefiere morirse antes que pagar para que le arreglen un desperfecto.

Me despedí de todos con un ademán. El primo parecía un buen tipo. Le ayudaba en ese momento a la Princesa con un dibujo a medio terminar. Me sentí un poco mal cuando cerré la puerta y me metí al elevador. Siempre que cometo una felonía me da una culpa medio mala onda. Aunque, por un lado, me encanta la palabra "felonía". Y, por otro, $500 pesos pueden lograr que se te olviden todas las culpas de tu vida.

Me puse en camino a casa de Marissa. Apenas iban a dar las 11, pero cuando tienes el gusanito de que te han estado haciendo ojitos durante varios días, como que es difícil esperar.

Vive en un edificio muy bonito en Río Lerma. Mucho más bonito que en el que yo vivo. Como un millón de veces más bonito. Toqué y sonó la voz de una señora por el interfón:

—¿Quién es?

—Hola. ¿Se encuentra Marissa?

—Se está bañando, ¿quién la busca?

—El Gugu.

—¿Quién?

—Un compañero de la escuela. El Gugu.

—Dice que la espere tantito, por favor.

La esperé en la entrada de su edificio, sentado sobre un suelo de mosaico súper bonito, imaginándome todo tipo de cosas: que si Marissa me abría la puerta enfundada en una toalla y que si la toalla se resbalaba tantito y que si... Marissa bajó con el pelo mojado y un vestido súper coqueto, perfecto para seducir a un compañero de escuela.

—¿Qué onda, Gugu? ¿Qué haces aquí? —me dijo al abrir la puerta.

—Nada. Vine a visitarte.

—¿Para?

Se reía. Marissa siempre se ríe, pero no es una risa burlona ni nada.

—Ya sabes —le dije.

—No, no sé.

—Sí, sí sabes.

Volvió a reírse y a negar con la cabeza mientras se rehusaba a salir del edificio. Agarraba la puerta como si ésta se fuera a caer si dejaba de sostenerla.

—Quería ver si ya habías pensado en lo que te pregunté el otro día.

—No te dije que lo iba a pensar, Gugu.

—Ya sé que no me dijiste eso, pero a lo mejor igual lo estuviste pensando, ¿no?

—No, no pensé nada —insistió. Pero seguía riendo. Luego miró su reloj y se escudó detrás de la puerta—. Tengo que subir porque voy a salir con mi mamá.

—Bueno, entonces ya quedamos. ¿Lo piensas, eh?

—¡No tengo nada que pensar, Gugu! —gritó al cerrar la puerta. Subió las escaleras corriendo, pero clarito oí que se reía y eso le compone el ánimo a cualquiera. Casi como traer $500 pesos en el bolsillo.

Queridos colegas, si me lo permiten, vamos a realizar un salto cuántico. Así se dice, ¿no? Porque me gustaría pasar de volada a lo realmente importante. Hagan de cuenta que ya son las cinco de la tarde y que estoy de pie frente al mismo edificio llamando al mismo timbre, aunque con una caja de chocolates súper riquísimos y una tarjeta que compré en Sanborns.

Baste decir que, entre los eventos que vale la pena resaltar que ocurrieron entre esos dos timbrazos están:

1. Dos horas en las maquinitas de Plaza Galerías (las razones por las que un baboso que tiene Xbox y Wii en su casa se gasta $150 pesos en maquinitas son materia de otro estudio científico).
2. Siete llamadas que no contesté en mi celular y una que sí contesté pero sólo porque fue la primera y no conocía el número que apareció en mi pantalla. Todas de ya saben quién.
3. A la mera hora, el Avilita no pudo recibirnos para comer y terminamos en casa de mi otro abuelo, el doctor Gutiérrez.
    - 3.1. Una comida en casa del Avilita hubiera significado juegos de mesa, una película en la tele, sesión de chistes bobos o una hora de Cri-Crí (es decir, una hora de mi abuelo tocando canciones del Grillito Cantor en el piano como si tuvieramos cinco años).
    - 3.2. En vez de eso, fuimos a casa del doctor Satánico a aburrirnos peor que si nos hubiéramos sentado a ver un derbi de tortugas. No tiene tele, no tiene piano, no tiene libros padres ni sillones cómodos, ni nada amable que decirnos.

3.3. Comimos pura comida baja en grasas y estuvimos hablando sólo de obligaciones: mi papá, de su trabajo; mi mamá, de la casa, y nosotros, de la escuela porque el doctor Gutiérrez no tiene otro tema de conversación.
3.4. Además, se la pasó hablando del Memo y de mí en tercera persona, como si no hubiéramos ido a su casa. "Tus hijos esto, tus hijos lo otro." Y eso te pone más tenso que una cuerda de mandolina.
3.5. Cuando volvíamos a la casa en el coche, mis papás nos salieron con lo mismo de siempre: "es muy buena persona, deberían de tratarlo más, etc., etc.". Como si eso bastara para que nos apuntáramos a visitarlo cada sábado para hacerle cosquillas. Ja, ja.

4. Mi salida como tren de la casa y la amenaza de mi madre de que si no volvía antes de las ocho de la noche, me iba a dar por secuestrado y, en vez de llamar a la policía, pondría un anuncio para rentar mi cuarto.

Así que ahí estaba, frente al mismo edificio en Río Lerma, aunque la luz de la tarde lo hacía parecer más bonito que en la mañana.

—Ahorita baja Marissa —dijo la misma voz que había respondido en la mañana.

Se tardó exactamente tres minutos. Todo un récord.

—Y ahora, ¿qué quieres, Gugu? —volvió a reírse.

—Te compré unos chocolates y una tarjeta.

—Uy... no como chocolates porque me salen granos.

—Bueno, pues entonces cómete la tarjeta.

Se volvió a reír. Fue un chiste bastante tarado, la verdad, pero Marissa siempre se ríe.

—En serio, Gugu. Ya no des lata.

—¿Qué? ¿Tienes novio?

—No.

—Ya sé, ¿por qué no nos besamos? Y si te gusta, andamos. Y si no, pues no.

Volvió a reírse. Estaba vestida igual que en la mañana, pero se veía más bonita. No sé si me entiendan. Bueno, supongo que no. Me imagino que tendrían que haber estado ahí.

—¿A poco no es una buena idea?

—Estás bien loco —tomó los chocolates y leyó la tarjeta. Estaba muy bonita. En la portada tenía un perrito saltarín que decía, "¿Sabías que..." y cuando la abrías, estaba sentado en una pila enorme de corazones y decía "... me gustas un montón?". Súper, súper bonita.

—¿Por qué no me la dedicaste, Gugu? —me reclamó, aunque siempre riéndose.

La neta, no se me ocurrió. Yo creía que, para entonces, ya estaríamos besuqueándonos. Pensé que, en cuanto recibiera la tarjeta y los chocolates, empezaríamos a recorrer las bases, sin importar qué dijera la tarjeta o de qué marca fueran los chocolates.

—Si quieres, te la dedico ahorita. ¿Traes una pluma? —pregunté.

Negó con la cabeza y sonrió.

—Ay, Gugu... —bajó los ojos. Yo me puse a pensar que todavía me quedaban $37 pesos y que igual me alcanzaba para invitarle una nieve.

Lo malo es que empezó a cerrar la puerta. Lo bueno fue lo que dijo después. O, más bien, lo que no dijo. Porque, mientras cerraba la puerta, yo le solté:

—Entonces, ¿qué? ¿Lo vas a pensar?

Y ella me sonrió de una forma súper, súper linda a través del cristal de la puerta cerrada. No dijo nada. Me despidió con un ademán y subió las escaleras lentamente mientras veía la tarjeta.

Volví a mi casa hecho un molusco. Casi me atropellan dos veces. Atravesé la puerta cuando eran apenas las 6:30 p.m. Mi mamá me dijo que Cordelia Sánchez me había llamado y que si podía llamarle cuando llegara, pero yo estaba vuelto un lelo.

Me puse a jugar *Call of Duty* y luego decidí redactar mi informe. Y ahora, queridos amigos, aunque son apenas las 10 de la noche, me voy a dormir. Lo que sueñe es cuento mío.

Marissa, Marissa, Marissa. Ya hasta tengo la tonada.

Sobre la existencia de los fantasmas

**Reporte Número 6**

6 de diciembre

Prof. Sergio Martorena R.
P R E S E N T E

Integro en este informe el inventario de los instrumentos de medición con los que contamos y que, junto con el equipo que tengo en calidad de préstamo, podremos verificar fehacientemente cualquier tipo de actividad paranormal. Al menos, eso espero.

Atentamente,
Cordelia Sánchez Sanabria
Grupo 202

## Domingo 7 de diciembre

Escépticos amigos del círculo intelectual:

Lo primero, primerito, primeritito del día, fue una llamada. Lo juro por mi madre, que fue quien me despertó. ¿A quién se le ocurre hacer una llamada telefónica a las 8:30 de la madrugada EN DOMINGO? Mal plan, en serio.

—¡Gumaro! —me zarandeó con una mano mientras sostenía el teléfono inalámbrico con la otra—. Te llaman.

—¿Quién? —respondí sobresaltado.

Por unos brevisisísimos segundos, creí que podría ser Marissa para invitarme a su casa porque sus padres iban a estar fuera todo el día. Por un micro segundo, me vi en casa de Marissa viendo la tele, comiendo palomitas, recorriendo las bases.

—Te dije que te comunicaras con ella ayer, maleducado —increpó mi madre, ya enfundada en sus pants.

—¿Quién?

—Cordelia.

—¿Cómo dijiste? ¿Gordelia?

—Cállate, grosero. Contesta, ándale.

Me puso el aparato en la mano y salió de mi cuarto.

—¿Bueno?

—Ja, ja, ja —Cordelia fingió reír—. Por si no te diste cuenta te oí, cerebro de ácaro.

—¿Pues qué querías? ¡Es domingo!

—Ni siquiera voy a decirte todo lo que me debes de lo que compré ayer. Ya nos arreglaremos cuando termine este infierno. Te hablo por otra cosa.

—¿Me vas a invitar a una tardeada? No puedo, tengo mucha tarea.

—Ya que estás tan convencido de que los fantasmas existen, averigua un par de sitios en los que, según tú, se aparezcan. Mañana en la noche tenemos que ir a recabar la evidencia.

"Recabar la evidencia." Si Cordelia no es un robot de guerra ruso, entonces le implantaron un chip Intel el día en que nació.

—¿Algo más? ¿Quieres que también te dé masaje en las patas?

—No te molestes. De seguro también eres un inútil para eso. Ten el dato para mañana, por favor. Dos sitios en los que podamos realizar labor científica. LABOR CIENTÍFICA, dije. No quiero acabar otra vez de mirona en un *show* porno.

Colgó. Y me dejó un zumbido en las orejas que claramente anunciaba un dolor de cabeza.

Comprobar la existencia de los fantasmas a lo mejor no es tan fácil, queridos colegas, pero comprobar la existencia de las brujas está muerto de la risa. Basta con hablar un minuto con Cordelia.

Me levanté de la cama. Eran las 8:30, y mis papás ya estaban listos para ir a Ciudad Universitaria a andar en bicicleta. Es algo que hacen todos los domingos y les importa un pepino, o menos que un pepino, que el Memo y yo nos integremos a su plan. Así que, planeando mi domingo, me acordé de que en mi mochila traía un CD que el Grumo me prestó hace varios días, así que prendí la computadora para oírlo.

Era un disco como de mil MP3 de música electrónica. Ya lo estaba oyendo cuando, por pura concatenación de eventos (a veces puedo ponerme bien científico si me lo propongo), me acordé también de que no había buscado al hermano del Grumo. Me conecté al Messenger y lo agregué como contacto, pero Rogelio no estaba. Al único que encontré fue, como siempre, al McCormick. Si les digo que, en vez de cabeza, tiene monitor.

Gugu: K onda, Mayonesa.
McCormick: K onda, Gugu.
Gugu: Préstame $23 pesos y vamos al cine, ¿no? :D ¿Cómo ves?

¿Qué son $23 pesos entre dos amigos que han enfrentado todo tipo de aventuras juntos? Nada. Además, el McCormick es rico. Muy rico. Así que en un dos por tres nos pusimos de acuerdo para ir a ver a una película.

Queridos amigos, ya sé que están pensando que esto no tiene nada de científico, pero necesitaba mencionarlo para compartirles una plática que tuvimos el McCormick y yo.

Y es que, como su pasatiempo favorito es quejarse de todo (de sus papás, de la escuela, de las tasas de inflación, de TODO), cuando tienes ganas de quejarte y de que alguien se ponga de tu lado, ese alguien es el McCormick. Él se pega y hasta le suma.

Antes de que empezara la película, le conté que el Dire me había regañado porque, según él, nada me interesa. Todavía no llegaba a la parte de los fantasmas, pero no hizo falta.

—A mí me regañan como 100 veces al día por no despegarme de la computadora y del Xbox —se quejó mi amigo—. Pero si no me dejan salir sin que ÉSTE me acompañe, entonces, ¿qué quieren que haga? ¿Monos de plastilina?

"ÉSTE", por cierto, es Margarito, el chofer de su casa. Va con el McCormick a todos lados. En ese momento, ÉSTE comía palomitas al lado del señorito Mayonesa.

—¿Por qué se quejan de que pasamos tanto tiempo frente a las máquinas si al final van a ser nuestras mejores amigas? —me quejé—. A lo mejor eso es lo que nos toca a nosotros, ¿no? A lo mejor somos la generación de la computadora. Vamos a tener trabajos de pura computadora y no nos vamos a parar de nuestros sillones ni para ir al baño.

—Igualito a los de *Wall-E* —dijo sabiamente el McCormick—. ¿O no, Gugu?

—“A ver, robotita” —fingí la voz—, “un masajito aquí en el cuellito. Ay, qué rico. Un poquito más abajito, robotita. Ay, qué rico.”

El Mayonesa se rio y dio un sorbo a su refresco. Luego yo le robé un sorbo.

—El otro día —aportó el McCormick—, mi papá me regañó a media comida familiar porque no había cerrado bien la llave del lavabo y se estaba tirando el agua. Con eso tuvo para echarme un rollazo frente a todos mis tíos, mis abuelos y mis primos.

—Mal plan —le robé más refresco y palomitas.

—¿Y sabes qué dijo mi abuelo cuando mi papá terminó su sermonazo? “El problema de los muchachos de ahora es que no tienen ningún interés en salvar al mundo.” O sea, ¿qué onda? Nomás deja uno la llave mal cerrada y ya te echan la culpa de la sequía en el Sahara.

—¿Y qué les dijiste? —más palomitas.

—Nada. ¿Qué querías que les dijera?

—No sé, algo —terminó por pasarme la cubeta de palomitas y su vaso.

La película empezó en ese momento, pero yo sólo podía pensar en que todos —el McCormick, el Cuarenta, el Grumo, el Picachú y tal vez hasta el Hobbit y el Chóforo— estamos en las mismas. Me di cuenta de que, si el Dire les hubiera preguntado qué les intersaba, todos hubieran puesto la misma cara de tarado que yo.

Si hablamos de intereses, lo nuestro son las compus, los juegos y las chavas. Y lo que los adultos quieren es que salvemos al mundo. ¡Como si nosotros lo hubiéramos puesto como está!

Al terminar, Margarito y el McCormick me dejaron frente a mi casa, pero no quise entrar. Como tenía $100 pesos de crédito en mi celular, ya se imaginarán en qué se me antojó gastármelo.

—¿Quién habla?

—Tu conciencia.

—¿Qué quieres, Gugu?

—¿Qué haces?

—Estoy en casa de una prima.

—¿Qué prima?

—Gugu, ¿no te sale muy caro hablar de bobadas por celular? —preguntó.

Así es Marissa, súper consciente.

—Sí, pero no te fijes.

—Mejor nos vemos mañana en la escuela.

—Bueno. Oye... ¿ya lo pensaste?

—¡No molestes, Gugu! —y me colgó. Pero sonreía. No podía verla, pero estoy seguro de que sonreía. A lo mejor tanto como yo cuando llegué a casa y me di cuenta de que mis papás ya estaban de vuelta y habían pedido pizza. Dizque muy corredores domingueros, pero eso sí, no perdonan la pizza.

—Si vas a salir, por lo menos avisa dónde andas —me regañó mi madre—. Siquiera para saber dónde te levantaron los secuestradores y dar el dato a la policía.

Ésa es mi madre. Tomé lo que quedaba de pizza y me encerré en mi cuarto. Seguía sonando el CD del Grumo, que les digo que tiene como mil canciones. Y ni se imaginan quién estaba en el *chat*. Casi se me caen la pizza y el refresco. Tecleé de volada:

Gugu: Hola, Rogelio...
Rogelio: Hola, Gugu. Me dijo Santiago que querías preguntarme algo.
Gugu: Sí, ¿tú tienes idea de por qué el profesor Martorena nos dice "panquecitos remojados"?
Rogelio: Ya ni me acordaba de eso.

Se tardó un poco en agregar:

Rogelio: No sé, Gugu. ¿No es de cariño?
Gugu: Sí y no. El profe Martorena nos dijo que un alumno de tu generación es el único en la historia de la escuela que no se merece ese apodo. ¿Se te ocurre quién podría ser?
Rogelio: No tengo idea. ¿Es bueno o malo?
Gugu: ¿Lo de "panquecitos"? Yo creo que es como de burla. El tal panquecito sin remojar debe haber sido muy matado.
Rogelio: El mejor alumno de mi generación era Cresenciano López Urías. Le decíamos "el Diccionario". Tuvo 10 de promedio limpiecito durante los tres años. A lo mejor es él.

Me palpitaba tanto el corazón que creí que se me saldría por la boca.

Gugu: ¿Tienes idea de dónde puedo localizarlo?

Rogelio: La verdad no, Gugu. Lo único que sé es que estudió la prepa en el Tec de Monterrey.

Rogelio: ¿Alguna otra cosa? Ya me tengo que ir.

Gugu: No. Ya con eso. Gracias, Rogelio.

Así fue, queridos científicos globalizados. Del puro gusto, y a pesar de haber comido tanta palomita, me acabé toda la pizza y todavía me cupieron dos sándwiches de mantequilla de cacahuate.

Con un poco de suerte, doy con el tal Cresenciano en dos patadas. Con ese nombre, no debe de ser tan difícil encontrarlo en Facebook, en Twitter o hasta en Google. ¿Cuántos Cresencianos López Urías que dirijan una empresa transnacional o hayan inventado su propio cohete a los 19 años puede haber?

Sobre la existencia de los fantasmas

Reporte Número 7

7 de diciembre

Prof. Sergio Martorena R.

P R E S E N T E

De acuerdo al plan que encontrará en el anexo, pienso que al fin podremos retomar la investigación. O, dicho más correctamente, podremos iniciarla.

Pedí al líder del proyecto que averiguara la dirección de las locaciones en las que habremos de recabar la evidencia, así que, si cumple con esto, confío en que para mañana o para el martes ya estaremos haciendo nuestras primeras mediciones.

Atentamente,

Cordelia Sánchez Sanabria

Grupo 202

## Lunes 8 de diciembre

Queridos colegas:

Antes que nada, tienen que saber que, después de terminar mi informe, volví a tener una pequeña plática con el McCormick en el *chat*. Le encargué, como ya se imaginarán, que investigara quién es Cresenciano.

Dirán que cualquiera puede teclear un nombre en Google, pero al McCormick le encanta que le pida este tipo de favores. Además, es tan bueno en eso de las ciberbúsquedas que es capaz de averiguar el color de las cobijas con que duerme el famosísimo Diccionario.

Estaba yo tan contento con mi hallazgo, que ni me acordaba del supuesto encargo de mi némesis. Apenas puse un pie en el salón, me brincó encima.

—¿Traes las dos direcciones?

—Eh... claro. Al ratito te las doy.

—Mejor de una vez.

—Al ratito —dije, pero como ya se cruzaba de brazos, preferí explicar—: es que conseguí 10, pero quiero hacer una selección de las dos mejores.

Se ve que no me creyó ni tantito, pero igual bajó los brazos.

—Tenemos que ir hoy o mañana sin falta, Gutiérrez. Y no me vayas a salir con alguna tontería.

Regresó a su lugar y se puso a jugar con un chunche con botoncitos y una pantalla digital que traía en la mochila. Me acordé de volada de que ella había ido al Centro a comprar aparatejos mientras yo tiraba mi dinero en maquinitas. Me dio un poco de remordimiento, pero se me quitó al instante. Ahí, justo frente a mí, estaba Marissa, Marissa, Marissa.

Ése es el poder del amor, queridos adeptos a los matraces: hace que todo se te olvide, en especial las felonías que has cometido.

—Hola.

—No molestes, Gugu —dijo Georgette.

—No molesto. Estoy saludando a Marissa —contesté sin quitarle los ojos de encima a Marissa.

Lo malo fue que en ese momento llegó la profe de Español y me tuve que ir a mi lugar. Lo bueno es que Marissa me siguió con la mirada. Y me hizo ojitos. Palabra.

La mañana se me fue en mandarle mensajitos al celular hasta que se me acabó el crédito. Como supuse, Marissa no llevaba su teléfono, y me pareció un lindo detalle que llegara a su casa y encontrara mis 38 mensajes. En serio que a veces puedo ser todo un Romeo.

En el primer recreo, cuando ya me iba a jugar Números, Cordelia Sánchez Sanabria se interpuso entre el patio y yo con sus 80 kilos de mal humor.

—¿Qué pasó con las direcciones? ¿Las tienes o no?

—En el segundo recreo te las paso.

Por increíble que parezca, me dejó ir sin romperme ningún brazo. Y, aunque no lo crean, de repente me sorprendí a mí mismo pensando que no me costaba nada hacerme de esas dos direcciones y feliz Navidad. Total, si sacábamos el proyecto, a los dos nos pondrían 10 en Física y yo conseguiría mi derecho a reinscripción.

Me pareció que no era tan mala idea seguir con esto, a pesar de tener bajo la manga el as de Cresenciano, el próximo premio Nobel mexicano.

De repente se volvió una carrera contra el reloj. O inventaba las direcciones, o tendría que admitir mi mentirota. Así que preferí salir corriendo a la zona en la que mis amigos estaban jugando Números. Me incorporé con una idea fija. Sólo tenía que ganar un juego.

No fue el primero. Ni el segundo. Pero al tercero tuve suerte. Al final, quedamos el Hobbit y yo. Le di una paliza y lo hice morder el pavimento. Y no se trata de una expresión, queridos amigos. Creo que el Hobbit dejó un par de dientes en el piso cuando intentó evitar que la pelota rebotara por segunda vez.

Antes de lanzar la pelota contra su microscópico cuerpo para fusilarlo de una vez por todas, me acerqué a él y le susurré al oído:

—¿Cómo quieres llegar a prepa? ¿En silla de ruedas o usando bastón?

—No seas salvaje, mugre Gugu. Es un juego.

—Te perdono la vida con una condición.

—¿Cuál?

—Tienes que darme, ahorita, la dirección de un lugar en el que se aparezca un fantasma.

—¡Tengo uno buenísimo! ¡Te lo iba a decir de todos modos para lo de tu trabajo!

—No voltees, que van a sospechar. ¿Dónde es?

—En el taller de un amigo de mi papá. Todos los veladores acaban renunciando. ¡Te lo juro por ésta!

Caminé la distancia reglamentaria y arrojé la pelota. Aunque la muchedumbre estudiantil pedía sangre, tuvo que conformarse con unos inofensivos moretones. Todos me abuchearon, pero no me importó. El Hobbit se lo había ganado. Para el segundo recreo, ya tenía el dato. Y aunque sólo contaba con una dirección, era tan buena que valía el doble.

Cuando sonó la chicharra y el profe Martorena abandonó el salón, no pude evitar pensar en Cresenciano y en lo cerca que estaba de conocer su secreto. En una de ésas, conseguía mi derecho a reinscripción por partida doble. Entonces Cordelia apareció de la nada e interrumpió mis profundos pensamientos.

—Es de un taller mecánico —le expliqué mientras le pasaba la dirección, anticipándome a que le empezara a brincar el párpado—. Dicen que se escucha un gemido que te pone los pelos de punta y luego se oyen pasos de ultratumba. Por eso tienen perros en lugar de velador.

Me miró como midiendo si valía la pena perdonarme la vida por no tener la otra dirección.

—Podemos ir mañana en la noche. El Hobbit ya lo arregló todo. Te lo juro.

Al final decidió no estrangularme, aunque no por eso dejó de dictar sentencia:

—Está bien, Gutiérrez. Pero ahora nos vemos en mi casa, porque necesito que me ayudes con el equipo.

—¿Cuál equipo?

—Mi mamá me consiguió una cámara de video y una grabadora de reportero, además de lo que compré. No puedo cargar con todo. Vas a tener que ayudarme.

—Bueno —accedí. El horno no estaba para bollos—. Dame tu dirección y yo te caigo como a las nueve, ¿va?

Asintió. Aunque parezca imposible, queridos amigos, me di cuenta de que, quizá por primera vez en su vida, no estaba enojada. Y de repente me recordó a alguien de la tele o del cine, aunque no supe a quién.

Pero regresando a lo importante, queridos colegas anteojudos, resulta que esta tarde, como a las seis, mientras el Cuarenta y yo boxeábamos en mi Wii, me llegó un correo del McCormick. El *subject* era: "¿Qué harías sin mí, Gumersindo?". A veces así me dice de cariño. Es un encanto, el Mayonesa. Dejé que el Cuarenta me acabara a puñetazos, pero no me importó. A veces hay que tener este tipo de consideraciones con alguien a quien probablemente nunca le cambie la voz.

El correo decía que Cresenciano, el próximo presidente de la ONU, estudia en el Tec de Monterrey (Campus Ciudad de México) y trabaja en una empresa. Me puso la dirección electrónica, el teléfono y hasta su extensión. Un tipazo, el Mayonesa.

Le contesté a la carrera:

> Gugu: Querido McCormick. Eres un encanto y por eso te amo, aunque no tanto como el Cuarenta, que te manda unos besitos: mua, mua, mua.

Esto lo puse porque el Cuarenta estaba detrás de mí, observando lo que tecleaba.

Le di "Enviar" a pesar de que el Cuarenta quiso aplicarme la Nelson para evitarlo. Cuando por fin le demostré quién es el único poseedor de la mágica doble Nelson que abre todas las puertas del Universo, me lancé por el teléfono inalámbrico a la cocina.

Me acordé entonces de que Marissa no había contestado ninguno de mis mensajitos, así que antes de marcarle al panquecito sin remojar, le hablé a Marissa, pero me mandaron al buzón y tuve que dejarle un recado:

—Nada más quería saber qué te habían parecido mis mensajitos y si ya habías pensado aquello en lo que quedamos que ibas a pensar.

El Cuarenta me miró como si estuviera loco.

—Le hablé a Marissa, tarado, no a Cresenciano.

—¿Y quién es ése tal Cresenciano?

—El único e inigualable panquecito sin remojar.

Lo puse al tanto de mis pesquisas y concluyó que estoy completamente mal de la cabeza, pero igual agarré el teléfono y marqué el número y la extensión. De repente pensé que ni siquiera había preparado un breve discurso. ¿Cómo le iba a preguntar cuál era la diferencia entre él y los panquecitos del mundo? Afortunadamente, soy un tarado con suerte: entró su contestadora y preferí colgar. Si le dejaba mis datos y alguna pista de mi misión, tal vez me mandaría arrestar. Decidí dejarlo para mañana y, mientras tanto, pensar qué iba a decirle.

Apunté los datos en un papelito y lo eché en mi cartera. Tal vez lo llame de la escuela; igual y Cresenciano, el próximo Bill Gates, sólo trabaja en las mañanas.

—Bueno, ya me voy. Dame mi cuaderno de Historia, Gugu —dijo el Cuarenta, pues se supone que había venido a mi casa a recogerlo.

—¿Y por qué viniste por tu cuaderno si yo hubiera podido llevártelo mañana a la escuela? Nomás me hubieras mandado un mensajito y ya.

—Me dieron ganas de jugar Wii.

—Sí, claro. "Me dieron ganas de jugar Wii." A mí se me hace que...

Nomás por molestarlo, empecé a hojear las últimas páginas del cuaderno. Les juro que nunca esperé encontrar lo que descubrí.

—Eres un %&/$#%@, Gugu —me arrebató el cuaderno, agarró su suéter y salió del cuarto. Apenas escuché que azotó la puerta del departamento. Mal plan.

Lo que vi en el cuaderno del Cuarenta es tan poco científico que de momento prefiero no hacer comentario alguno, queridos colegas. Además, ya casi dan las 10 y creo que es buen momento para irme a la cama. Ocurrieron demasiadas cosas hoy. No vaya a ser que, si le sigo, a los fantasmas también se les ocurra aparecerse.

<u>Sobre la existencia de los fantasmas</u>

**Reporte Número 8**

8 de diciembre

Prof. Sergio Martorena R.
P R E S E N T E

Aunque desconozco la locación en la que habremos de conducir nuestros experimentos, hice un croquis en el que señalo cómo habremos de disponer el equipo en función de una probable zona de apariciones. Asimismo, hice un itinerario, el cual espero podamos cumplir a conciencia.

Por el momento, me interesa más el registro de los ruidos que, de acuerdo a testigos, son de origen supranatural. La búsqueda de su causa y explicación será mi principal preocupación el día de mañana. En caso de no cumplir con tal objetivo, la hipótesis podría ser cierta. Pero no hay que olvidar que un solo experimento no puede, de ninguna manera, ser concluyente.

Atentamente,
Cordelia Sánchez Sanabria
Grupo 202

## Martes 9 de diciembre

Queridos amigos de la ciencia internacional:

Así fue como comenzó mi día:

—Préstame tu cuaderno de Historia, Cuarenta. Necesito ver una cosa.

Íbamos hacia la escuela en el auto de mi mamá, y yo no pude evitar la tentación de fregar de nuevo al Cuarenta, quien, por cierto, llevaba tal cara de funeral que nada más le faltaban dos cuervos posados en los hombros. Después de lo que vi ayer, creo que voy a poder molestarlo de aquí a que se nos caigan los dientes.

—Ándale, préstame tu cuaderno de Historia —insistí.

—¿Para?

—Necesito ver una cosa.

Desganado, me pasó su cuaderno, pero el muy maldito ya había arrancado las hojas.

—Ahora préstame el de Español, ¿no?

Pude ver en sus ojos que sólo le había arrancado las hojas inculpatorias al de Historia. Era mío.

—No.

—Préstame el de Español, Cuarenta.

—¡Que no!

Me acerqué a él y, en voz baja, lo sentencié:

—Sabes que, tarde o temprano, me voy a enterar. Así que DAME tu cuaderno de Español.

Con una carota más larga que la de un caballo, me pasó su cuaderno. Viéndolo bien, era la cara de un caballo aterrorizado que iba directo al matadero.

Me fui a las últimas hojas. Ahí estaba, con todas sus letras y todas sus trenzas y todos sus dientes. Cerré el cuaderno y se lo devolví. Me puse a silbar. Es lo único que se puede hacer cuando descubres algo así.

—¿Y por qué tan contento? —preguntó mi mamá.

No contesté. Estaba feliz y punto. No todos los días descubres algo con qué molestar a tu mejor amigo de aquí a la eternidad. Es aún mejor que encontrarse un rifle lleno de municiones en el *Gotcha*. Hubiera sido muy fácil que el Cuarenta se me echara encima e intentara apuñalarme cuando nos bajamos del coche, pero igual sabía que era mío.

—¿Patricia "Conejito" Asunción? —escupí, soltando la carcajada.

—Ya sabía que te ibas a burlar.

Caminó a toda prisa hacia la puerta de la escuela.

—Cálmate, Cuarenta. No es burla. Es... sorpresa.

—Sí, cómo no. Sorpresa.

—En serio. ¿Qué pasó con Tania?

Se detuvo. Se veía realmente mortificado. Después de todo, hay que considerar que él y Tania casi, casi nacieron juntos. Creo que compartieron la cuna y el biberón, y hasta intercambiaban pulgares cuando se chupaban el dedo de bebés.

—Nada. Todavía andamos.

—Pero la vas a tronar, ¿no?

—Creo que sí. Es que... como que ya no me late.

—¿Por?

—No sé.

Él podía no saberlo, pero yo sí. El Cuarenta y Tania son como hermanos gemelos. Era de esperarse que alguno de los dos terminara por aburrirse. Es como si una persona anduviera consigo misma. ¿De qué platicas contigo?

Ya en el salón, noté que el Cuarenta, al pasar al lado de Paty "Conejito" Asunción, se ponía rojo como las trenzas de ella y corría al fondo del salón. No sé cómo no me había dado cuenta. Hubiera podido molestarlo desde que empezó con la fiebre conejera.

No tengo nada en contra de Paty Asunción. De hecho, es súper buena onda. En las fiestas, es de las únicas que baila con quien sea y nunca se hace la cansada. Y cuando alguien se siente mal y el profe en turno pide que alguien acompañe al moribundo a la enfermería, Paty siempre se ofrece. Pero también es cierto que, si fuera caricatura, sería Bugs Bunny. Y no me puedo explicar por qué alguien se enamoraría de Bugs Bunny. Así que, nada más por eso, el Cuarenta se merece ser molestado hasta el fin de sus días.

—Oye, ¿no te da miedo que te parta la lengua con sus dientotes?

—Cállate, Gugu. Por eso no quería que te enteraras.

—¿Ya le llegaste?

—Claro que no.

—¿Quieres que le diga que te gusta?

—Si lo haces, yo te rompo los dientes.

Llegó el primer recreo y a mí me seguía intrigando que Marissa no me hubiera dicho nada de mis mensajitos si eran toda una poesía de amor. Y yo que creía que después de eso caería redondita.

Por eso tuve que concentrarme en otros asuntos y fui con la señora Borbolla a pedirle que me prestara el teléfono. No es nada común que te lo presten, pero le dije que se trataba de una llamada muy breve para mi famosísimo informe sobre los fantasmas. Saqué el papelito de mi cartera y marqué el número que me había conseguido el McCormick. Me contestó una voz de mujer.

—Cuentas por cobrar, buenos días...

—Buenos días. ¿Me podría comunicar con el señor Cresenciano López, por favor?

—¿Quién lo busca?

—Gumaro Gutiérrez.

Se tardó un ratito y volvió para preguntar:

—¿Para qué asunto?

No sé por qué dije lo que dije si ya tenía mi guión. Pero eso es como preguntarse por qué el cielo es azul. La neta, son cosas que no puedo evitar.

—Es para lo de su coche.

—¿Su coche?

—Es que le acabo de pegar sin querer y se le cayó la defensa.

Volvió a dejarme en espera y en menos de lo que escribo, ya estaba el súper genio del Instituto Académico Súper Superación en la línea.

—¿Bueno? ¿Quién habla?

—Hola —saludé—. Me llamo Gumaro Gutiérrez. Soy alumno del Institu...

—¿Le pegaste a mi coche? —me interrumpió.

—¿Yo? No. ¿Por qué?

—Porque me acaban de decir que... que... —no supo cómo continuar. Me imaginé al gran Cresenciano López mirando a Lupita con ojos de "ah, qué chistosita" y volviendo al teléfono—. Perdón. ¿Me decías...?

—No lo quiero molestar, licenciado —insistí con la voz más melosa y formal del mundo.

—Todavía no soy licenciado —aclaró—. Apenas estoy en la carrera.

—No importa —continué—. Igual no quiero molestar. Mi nombre es Gumaro Gutiérrez y voy en segundo de secundaria en el Instituto Académico Superación.

—Háblame de tú, Gumaro —un buen tipo, el Cresenciano. Ojalá hubiera más panquecitos sin remojar como él en el mundo.

—Gracias. Te decía que estudio en la misma escuela donde estudiaste. Y me encargaron una investigación un poco rara. Quiero ver si tú me puedes ayudar.

En ese momento, sentí que la ansiada respuesta al misterio de los panquecitos remojados por fin estaba al alcance de mi mano.

—A ver, dime, ¿en qué soy bueno?

—¿A ti te dio clases el profesor Martorena?

—Sí, claro. Es un gran maestro.

—¿Te acuerdas de cómo suele llamar a sus alumnos?

—"Panquecitos remojados" —contestó con una sonrisa. Un tipazo el Cresenciano. Ojalá algún día pueda invitarle un helado o un café.

—Bueno, pues se supone que, en toda la historia de la escuela, sólo ha habido un alumno que, según el profe, no ha sido un panquecito remojado. Este alumno iba en tu generación, y pensé que, como tú tenías el mejor promedio, a lo mejor se refiere a ti. Y aquí viene el motivo de mi llamada: ¿tú me puedes decir cuál es la diferencia entre SER o NO SER un panquecito remojado?

Se tardó en contestar. Tuve que cerciorarme de que ahí seguía.

—¿Cresenciano? ¿Licenciado?

—Te voy a decir la verdad, Gumaro —hizo una pausa—. Yo no soy la persona que buscas.

Me lo temía. Si a mí, cuando parece que el destino me sonríe, me está pelando los dientes.

—Y supongo que no sabes quién fue.

—Sí. Sí sé. No me acuerdo de su segundo apellido, pero se llamaba Horacio Yáñez.

Tomé una pluma del escritorio de la señora Borbolla y apunté el nombre en un *Post-it*. Horacio Yáñez. Un tren de adrenalina empezó a recorrer mis venas y se puso a chocar como loco contra todos mis órganos. El corazón me hacía *ponchis, ponchis, ponchis*.

—¿Y por qué era tan especial?

—No tengo idea. No íbamos en el mismo salón.

—Y entonces, ¿cómo sabes que él era el famoso panquecito sin remojar?

La señora Borbolla empezó a verme con ojos de "no abuses, Gugu, dijiste que era una llamada corta".

—Sé que se trataba de él porque, el día de la entrega de certificados, fue el único al que el profesor Martorena no se dirigió cariñosamente como panquecito.

—No te entiendo.

—El día de la graduación, el profesor Martorena fue quien entregó los diplomas. Cuando te lo daba, te decía "Felicidades, panquecito" y te estrechaba la mano. Pues a Horacio, en lugar de llamarlo "panquecito", le dijo "Felicidades, señor Yáñez". Me consta porque yo mismo lo esuché. Honestamente, me puse celoso. El profesor Martorena nunca se dirige así a sus alumnos. Nunca.

—¿No sabes qué fue lo que hizo Horacio Yáñez para dejar de ser un panquecito remojado?

—No. Pero además hubo otro detalle. No sé si te sirva de algo. Al final del evento, el profesor Martorena le mostró a Yáñez una campanita que llevaba oculta en su saco. Luego le sonrió como si Yáñez hubiera hecho algo muy significativo. Pero bueno, era el último día de clases. Después de tomarnos la foto, nos fuimos a la fiesta y nunca volví a pensar en ello. Hasta ahora.

Suspiré. Al menos tenía la primera parte del nombre. Horacio Yáñez. Se me había grabado tan hondo que ni siquiera tuve que apuntarlo en el *Post-it*.

—El profesor Martorena es un gran maestro, Gumaro. Ahí como lo ves, es un hombre con una larga historia.

—Me imagino. Gracias, Cresenciano.

—Nos vemos.

Colgó. Un segundo después, sonó la chicharra. Apenas me dio tiempo de llegar al salón.

Durante el resto de las clases, sólo pude pensar que el único panquecito sin remojar en la historia universal de la escuela no había sido el mejor alumno. Por lo visto, el mote no tenía nada que ver con las calificaciones. Me sentí más intrigado que nunca, pero tenía pocas pistas. Debe de haber como dos mil Horacios Yáñez en Facebook y como dos millones en Google. Y ni modo de preguntarle a cada uno.

Claro que, para olvidar mis tribulaciones, siempre se tiene a los amigos:

—¿Cuántos conejitos piensan tener cuando se casen?

—Sigue fregando, mugre Gugu.

Y a los enemigos.

—A las nueve en mi casa, Gutiérrez. Ya quedamos.

Por cosas así, a la gente se le pone el cabello blanco de la noche a la mañana, queridos amigos. Volvió a darme la dirección de su casa y se cercioró de que la guardara en la bolsa de mi pantalón. Era la tercera vez en el día que hacía lo mismo. Pero supongo que los abogados de Lucifer no pueden permitirse falla alguna. Finalmente, trabajan para el más desgraciado de todos los jefes.

Como ya se imaginarán, el Cuarenta no me quiso acompañar al taller del terror. Todavía no me perdona que haya descubierto el secreto de su orejudo amor. Y aunque le rogué por teléfono, me dijo que a ver si así aprendía. Mal plan. No aguanta nada.

La tarde se me hizo eterna. Sentía la presión del reloj sobre mi espalda, como si las nueve de la noche me acecharan como un buitre. Intenté platicar con el Memo para hacer tiempo, pero me mandó por donde vine.

Para no volverme loco, me puse a leer y terminé durmiéndome. A las ocho no me quedó otra que hablarle al señor Medina para que pasara por mí. A las 8:30 p.m. llegamos a la Doctores.

Cuando vi el edificio, sentí un nudo raro en la garganta. Era uno de esos que hasta parece que mazmorra tienen. La pintura estaba toda pelada, el número exterior borrado, no había estacionamiento y había ropa colgada de ventana a ventana. Un hombre que fumaba en camiseta en una de las ventanas del primer piso me miró con ojos de asesino serial. Me apuré a llamar al timbre.

—¿Quién? —dijo una voz apagada en el interfón.

—Soy el Gugu, que diga, Gumaro Gutiérrez. Vengo a ver a Cordelia.

—Ahorita te abro.

Me dieron ganas de subir al taxi y decirle al señor Medina que me había equivocado y que teníamos que huir antes de que se robaran los tapones de las llantas con todo y llantas, pero ahí me quedé, esperando que me abrieran. Todo un Juan sin miedo, ése soy yo. Ni siquiera le dije al señor Medina que, si no salía en 15 minutos, llamara a la policía.

La puerta del edificio se liberó y entré. Les juro que, mientras subía los tres pisos que me llevarían al departamento del terror, pensé en sugerirle a Cordelia que mejor hiciéramos la investigación ahí mismo. Se notaba a leguas que hasta en plena luz del día podían aparecerse los espectros de todas las personas que habían sido asesinadas entre esas paredes repletas de grafiti.

—Hola —dijo, asomándose por la puerta entornada. Me extendió una cámara de video súper chida y tomó una bolsa grande de tela y un tripié. Apenas alcancé a ver unos muebles bastante viejos cubiertos de carpetitas, idénticos a los que hay en casa del Avilita. Mientras corría los cerrojos, me atreví a preguntarle:

—¿Vives sola? —de veras lo creí posible.

—No —contestó—, vivo con mi mamá, pero regresa bien tarde de trabajar.

Bajamos por las escaleras en silencio y así seguimos un buen trecho del camino. De no haber sido porque un coche se empeñaba en rebasarnos y no dejaba de echarle las altas al señor Medina, creo que no hubiéramos dicho palabra en todo el camino.

—¡Pues pásale, &%$(@, si tienes tanta %#&# prisa! ¡Hijo de tu &#"%$ /$&#$@!

—¿Y qué tantas cosas llevas, Sánchez? —pregunté para distraerme.

—Cámara de video, grabadora, medidor de campo electromagnético, brújula, linterna, cuaderno, pluma, un termo con café, galletas, termómetro ambiental...

—Yo traigo mi celular sin crédito, mi reloj de Bob Esponja y un Pelón Pelo Rico que acabo de encontrar en la bolsa de mi chamarra.

—Ja, ja —fue todo lo que dijo.

A las 9:30, el señor Medina nos dejó frente al Servicio Martínez, taller mecánico autromotriz del terror en la zona sur de la ciudad. Le pedí, para variar, que pasara por nosotros a la una de la mañana. Y, para variar, no dijo nada. Se perdió por la calle solitaria y oscura.

Llamamos a la puerta y nos abrió un hombre alto con pinta de ser el dueño.

—Ustedes deben ser los que vienen a investigar lo del fantasma, ¿no es así?

—Sí, señor —respondió Cordelia.

—¿No están muy chicos? ¿Cómo sé que no van a emborracharse o a echar novio?

Los dos lo miramos con el mismo gesto de odio. No obstante, fue Cordelia quien salvó la situación. Sacó una hoja doblada de su gran bolsa y se la mostró al hombre. Él, satisfecho, se la devolvió y nos permitió pasar.

—Tienen hasta las tres de la mañana. A esa hora traigo a los perros y vengo a cerrar. Si se quieren ir antes, nada más jalen la puerta.

—¿A qué hora se aparece el fantasma? —pregunté.

—No se aparece. Se escucha, y sólo a veces. Es una especie de gemido seguido de pasos. Yo nunca lo he oído, pero los veladores que contrato no duran. Al menos los perros no creen en esas cosas —se subió a un auto y arrancó, y nosotros nos quedamos en el taller.

No tenía nada de especial. Había herramientas, aparatos y, por supuesto, autos. Al fondo había una zona un poco más limpia con lockers, una mesa de reparaciones, dos baños y una oficina.

—¿Qué le enseñaste al señor?

Me mostró una carta en la que el Dire pedía "a quien corresponda" que nos apoyara en nuestra investigación, cuyos fines eran meramente pedagógicos. Llevaba firma, membrete y un sello de la escuela.

—Qué bueno que trajiste tu carta, porque yo olvidé la mía, Sánchez.

—Sí, qué bueno, ¿verdad?

Cordelia puso todos los bultos que llevaba encima de la mesa de reparaciones. Yo me dispuse a terminarme el Pelón Pelo Rico que había encontrado en mi chamarra y que aún estaba bueno.

Cuando acabó de instalar todo el equipo, sacó el aparatito con el que había estado jugando en la escuela y lo puso en la mesa. Luego apuntó en su cuaderno:

"Medición inicial, 10:17 p.m.: 28 mG".

Después encendió la grabadora y dijo al micrófono:

—Son las 10:17 de la noche. En el interior del taller no se registra ruido alguno, salvo el de la calle —y dejó que la cinta corriera.

Se dirigió hacia una esquina que parecía dominar todo el taller, y ahí acomodó la cámara en el tripié. Se asomó por la lente y la puso a grabar. Yo, para que vean que también colaboré, serví dos tazas de café y abrí las galletas.

—Te mereces el premio Nobel de Geografía, Sánchez.

Me miró como si fuera un gusano que hubiera aparecido en su manzana.

—Shh... Si no te importa, mejor no hablamos para que se registren limpiamente los eventos.

—O sea, para que todo se grabe chido.

Me ignoró por completo. Se sirvió café y tomó una galleta. Yo la imité, tratando de no hacer ruido.

A la media hora, me estaba muriendo del aburrimiento. Para entretenerme, me puse a meterle mano a un motor que estaba colgado de unas cadenas. A la hora, ya estaba en la oficina prendiendo la computadora, cuya contraseña, para mi mala suerte, nunca pude adivinar. A la hora y media, es decir, casi a las 12, ya estaba de vuelta en la zona de investigación. Les juro que estuve a punto de pararme frente a la cámara y hacer mi imitación de los *Huevo Cartoons*.

Me volví a sentar junto a Cordelia, que estaba dibujando en su cuaderno. La verdad, no lo hacía tan mal, aunque sólo se trataba de una ola enorme, casi del tamaño de un tsunami. Sobre la cresta había un muñequito surfeando con los brazos extendidos.

—¿Qué es eso?

—¿Qué te parece que es? —bufó y cerró el cuaderno.

—No sabía que te interesaba el surfing —dije, pero ella se hizo la sorda, así que preferí ofrecerle más café.

—Bueno —dijo, torciendo la boca.

Le pasé su vaso de unicel. Estuvimos imitando al Dire unos 10 minutos, dando micro sorbitos inaudibles a nuestros cafés.

—¿Y nada más vives con tu mamá? —pregunté para no echarnos otra hora y media en silencio.

—Sí.

—¿Y tu papá?

Se tardó un poco en responder, pero finalmente dijo:

—Está muerto.

—Chin. Qué mala onda.

Se encongió de hombros.

—¿No tienes hermanos?

—No.

—No te pierdes de nada. Yo tengo un hermano mayor, pero con gusto te lo cambiaba por unas papas y un refresco.

No se rio a pesar de que, según yo, no había sido tan mal chiste.

—Y creo que tendría que darte cambio —añadí.

Nada.

—Oye, ¿y qué promedio sacaste el año pasado?

—9.6.

—Qué casualidad, yo tengo el mismo promedio.

Ahora sí conseguí que me mirara.

—Nada más que al revés.

Juro que sonrió. Un poquito, pero sonrió.

—¿Y adónde te vas de viaje?

Y cuando estaba a punto de contestarme, lo escuchamos. Al principio era un sonido apenas perceptible, pero pronto se convirtió en un verdadero lamento de ultratumba. Ella fue a su lector de campo electromagnético y yo a la cámara, para ver si atrapaba al espectro. Pero así como inició, se detuvo. Ya le iba a preguntar a Cordelia si lo había registrado en la grabadora cuando comenzaron los pasos: uno tras otro, pausados, lentos, como si el alma en pena llevara zapatos de hierro y no tuviera ninguna prisa en llegar a su destino. Horror de horrores. Parecían venir de todo el taller, produciendo un eco escalofriante en todas las paredes.

Tengo que admitir que se me puso la piel chinita. Abandoné mi puesto y fui hacia Cordelia.

—Vámonos antes de que nos agarre el muerto, Sánchez —dije con urgencia.

—¡Shh! —me calló. Vi que, en vez de mostrarse alarmada, parecía molesta, como si le costara trabajo creer lo que estaba presenciando.

Y entonces, todo acabó. Se detuvieron los pasos y volvió el silencio.

—¡Uf! —resoplé aliviado—. ¿Lo grabaste? ¡De seguro la cámara también lo grabó! ¡Qué buena suerte!

De pronto me vi en el salón de eventos el día 19 presentando mi informe con mi bata de científico mostrando la evidencia, recibiendo los aplausos de todos y adorado por todas.

—Ahora sí, vámonos antes de que vuelva el fantasma y nos quiera arrastrar hasta el infierno por metiches. ¡Ya tenemos la evidencia!

—¿Evidencia? ¿Cuál evidencia? Debe de haber una explicación lógica, Gutiérrez.

—¡No seas necia! ¿Qué explicación puede tener? ¿Acaso viste a alguien pasearse por el taller? No, ¿verdad? Entonces se trata de un espíritu. Punto final. Vámonos.

Era evidente que una tremenda lucha se libraba en su interior. Y entonces volvió el dichoso gemido. Yo no quise esperar más y me puse a guardar el equipo. Pero ella, que perdió la razón, desmontó la cámara de video y se dirigió hacia los baños.

Yo, que soy todo un cobarde, preferí quedarme donde estaba. No tenía ganas de ver cómo le daban el gélido abrazo de la muerte.

—¿Qué haces, Sánchez? ¡Estás loca!

Para variar, me ignoró por completo. De un golpe, abrió la puerta del baño de hombres. El gemido se hizo más fuerte. Yo juraba que Cordelia tenía frente a sí al mismísimo espectro de algún infeliz que había sido apuñalado, ametrallado o ahogado en la taza de ese mismísimo baño.

Vaya iluso.

La sonrisota en la cara de Cordelia era la típica de un castroso que te echa a perder tu felicidad para siempre.

—Ven a conocer a tu fantasma, Gutiérrez.

Y como ya casi son las tres, queridos amigos, prefiero contarles el desenlace mañana porque estoy muerto. Más muerto que el dichoso muerto del taller mecánico automotriz del terror. Mal plan. Súper mal plan. Súper, súper, súper mal plan. Palabra.

Sobre la existencia de los fantasmas

**Reporte Número 9**

9 de diciembre

Prof. Sergio Martorena R.
P R E S E N T E

Tal como sostuve en algún informe anterior, estoy convencida de que más nos convendría refutar la hipótesis, que intentar demostrarla. Sirva el presente informe y sus anexos para dar validez a mi postura.

A veces una simple llave stilson basta para terminar con un supuesto espectro.

Atentamente,
Cordelia Sánchez Sanabria
Grupo 202

## Miércoles 10 de diciembre

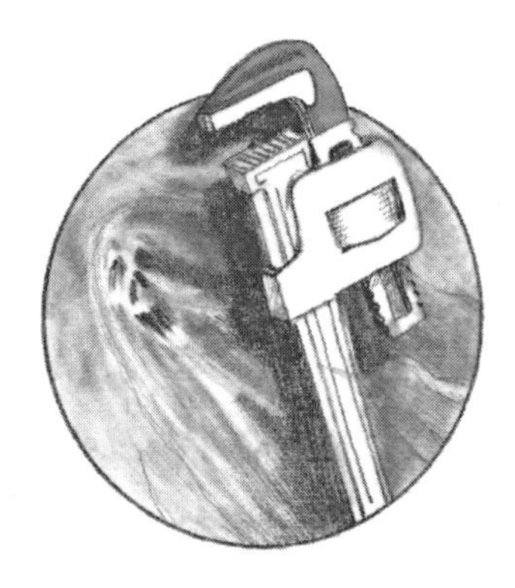

Queridos amigos científicos:

Sepan que, si de mí dependiera, dejaría la investigación por la paz, me compraría un barril como el del Chavo del Ocho, me lo llevaría a la calle Río Lerma, lo colocaría justo frente al edificio más hermoso del mundo y viviría en su interior para siempre. Sepan también que esta súbita decisión no tiene nada que ver con el fracaso del día de ayer. Nada de eso. Es por algo que pasó hoy y que me tiene en un grado de atontamiento sólo comparable con la cruda de un caracol.

El Cuarenta y yo llegamos a la escuela discutiendo las posibilidades de que él pueda conservar la dentadura si le dice a Tania que ya no quiere andar con ella.

Cordelia ni siquiera me molestó cuando me vio llegar al salón, a lo mejor por la cara de desvelo que traíamos los dos. Seguramente ella sí terminó la tarea de Mate que yo ni toqué.

El día se fue como mantequilla hasta el primer recreo. Fue entonces cuando ocurrió el milagro. Yo no estaba ahí, pero el Grumo me lo contó. Él se quedó en el salón durante el recreo porque quería terminar la tarea de Historia y que yo (adivinaron, queridos colegas de mente deductiva) tampoco había tocado.

El Grumo dijo que Marissa se quedó en el salón porque Liz le prestó el cargador de su celular. Al parecer, el suyo se descompuso y por eso no había revisado sus mensajes.

Pues ni se imaginan. Marissa conectó su celular y lo encendió. Ya lo iba a dejar en el suelo, cuando de repente sonó una musiquita súper cursi. Era un mensaje de texto. Marissa lo leyó y sonrió. Pero luego volvió a sonar la misma música. Y luego, otra vez. Y otra. Y otra. Y otra más. Ya se imaginarán de quién eran todos esos mensajes que por fin estaban llegando a su destino todos apelotonados y con dos días de retraso.

Marissa terminó por sentarse en el suelo a leer sus mensajes. Él hasta le preguntó si su celular no se había vuelto loco. Marissa sólo negó con la cabeza y siguió leyendo. Y cuando terminó de leerlos todos, tenía los ojos muy brillosos, como si fuera a llorar o algo.

No. Yo no estaba ahí. Pero el Grumo me lo contó, y miren que él no es de los que dicen las cosas nada más porque sí. Además, ni falta que hacía que yo estuviera ahí porque, cuando volví al salón, no pude evitar darme cuenta de que Marissa me sonreía. Ya sé que Marissa siempre se ríe, pero esta vez era distinto. MUY distinto.

Fue como si los extraterrestres me hubieran chupado el cerebro. Yo nada más estaba al pendiente de la espalda de Marissa, el cabello de Marissa, los hombros de Marissa, las calcetas de Marissa, la mochila de Marissa, el aire que rodeaba a Marissa.

Durante la clase de Física, el profe Martorena me preguntó cómo iba mi investigación, pero ya ni me acuerdo de qué le dije. A lo mejor hasta le respondí en portugués. De lo que sí me acuerdo perfectamente (y yo creo que me voy a acordar hasta el fin de mis días) es que, cuando sonó la chicharra del segundo recreo, Marissa se levantó, fue a mi lugar y, sin decir nada, me tomó de la mano frente a todo el mundo.

Me condujo por entre las bancas hacia la puerta del salón, hacia el pasillo, hacia el patio. Yo me dejé llevar como un corderito. No me importaba nada salvo el simple detalle de ir de la mano de Marissa por toda la escuela.

En efecto, queridos colegas. Bateé un hit. Llegué a primera base con Marissa.

No me pregunten cómo, pero, en un ratito, ya estábamos en esa zona mejor conocida como "el Jardín del Pulpo", legendaria por ser la más oscura, la menos vigilada y la única en la que los novios pueden besuquearse a gusto. Es un pasillito que lleva a la bodega de la papelería, que siempre está cerrada.

Marissa le dio $10 pesos al Foco, un prefecto que cobra por hacerse pato. Finge que vigila cuando, en realidad, se pone a jugar con su PSP o a comer todo lo que le llevan los que quieren utilizar el espacio para sus prácticas románticas.

Y ahí, queridos colegas, junto a la puerta de la bodega y con la gritería usual de la escuela como música de fondo, a lado de otras dos parejas que hacían lo suyo como únicos testigos, ocurrió el milagro. Ella misma me besó. Y no fue un beso de piquito, sino de a de veras, como los de las películas. Cinco minutos o más. Palabra. Cuando por fin pudimos respirar, me dijo:

—Está bien, Gugu. Ya lo pensé.

—Qué bueno. ¿Y qué pensaste?

—No seas bobo.

Me volvió a besar, y yo, que soy muy malo para discutir, me dejé todito.

Y mientras Marissa me apretaba los cachetes sin despegar sus labios de los míos, me transporté al lunes de la semana pasada. El Dire me preguntaba "¿Qué te hace hervir la sangre?". Y yo contestaba "Marissa". Así que él me decía que tenía que entregarle informes diarios de mis avances con Marissa y yo, totalmente resignado, me entregaba en cuerpo y alma a la ardua labor científica.

Ya sé que no hay nada de científico en los 38 mensajes de texto que conquistan a una chava de segundo de secundaria, queridos colegas, pero igual quise plasmarlos en este informe por si a alguno de ustedes les sirve para hacerse del amor de alguna colega científica que no les haga caso. Claro que, ahora que los vuelvo a leer, me doy cuenta de que me faltó decir un montón de cosas y que, como poema, es bastante horripilante, pero ustedes saben que el saldo se me acabó bien pronto y que no se pueden hacer milagros cuando estás haciéndole al conquistador a media clase.

1. Marissa, estuve pensando mucho.
2. Claro. Para que lo sepas, el Gran Gugu también piensa.
3. Pero sólo piensa en cosas que lo hacen feliz.
4. Nunca piensa en cosas tristes ni en cosas que le dan flojera.
5. Pero sí piensa mucho en cosas que lo hacen feliz.
6. Por eso estuve pensando mucho, mucho, mucho, mucho.
7. Mucho.
8. En ti.
9. Porque pensar en Marissa me pone feliz. Feliz como lombriz.
10. Como una lombriz en París.
11. Ya hasta compuse una canción con tu nombre que rima con brisa y con sonrisa.
12. Y con Mona Lisa. Ja.
13. Marissa, Marissa, Marissa.
14. Y de tanto pensar en ti, me di cuenta de que me gustas tanto...
15. ... que podría serruchar todos los árboles del mundo con un palillo de dientes.
16. ... y matar a todos los tiburones del mundo con una cucharita de Danonino.
17. ... y robarme todos los peluches del mundo que tienen un corazón.
18. Y regalártelos. Todos.
19. Todos. Todos. Todos.
20. Todos.

21. Hasta que no te quepan en los brazos.
22. Hasta que quedes sepultada y aplastada.
23. Para que, con tanto oso cariñoso, pienses siempre en mí.
24. Y te des cuenta de que tú también eres feliz cuando piensas en el Gugu.
25. En el Gran Gumaro Gutiérrez Ávila.
26. En el Gran Domador de Tigres. El Gran Prestidigitador.
27. El Gran Chef. El Gran Poeta. El Gran Cantante y Compositor.
28. Gran Compositor.
29. Escucha: Marissa, Marissa, Marissa.
30. Y al pensar en mí, te des cuenta de que conmigo siempre te ríes.
31. Y te digas: "Sí es cierto, con el Gugu siempre me río. ¿Por qué será?".
32. Y entonces te convenzas de que te conviene andar conmigo.
33. Porque el Gran Gugu te puede conseguir lo que quieras. Un pastel de 10 sabores.
34. Una montaña de caramelos. Un millón de iPods para ti sola.
35. Tres mil horas para ver la tele. Puro 10 en la escuela.
36. Un océano de refresco de uva.
37. El mejor año de tu vida. Una lombriz en París.
38. Un novio que te quiera y no un tarado que te moleste.

—¿Es cierto que ya andas con Marissa? —me preguntó el Cuarenta al terminar el recreo.

Para contestarle, tuve que salir de la fiesta que había organizado en mi cabeza con luces, sonido, globos, fuegos artificiales, magos y payasos…

—Sí, Cuarenta. Me llegó y no pude decirle que no.

—Ya, en serio. ¿Cómo estuvo?

Le conté más o menos la historia, sin exagerar en cuanto a la cantidad de saliva.

—Qué suerte tienes, Gugu —dijo como si ambos estuviéramos atrapados en una isla que va a estallar y solamente yo hubiera conseguido sitio en el helicóptero.

En ese momento noté algo muy importante en la cara de mi mejor amigo. Comprendí que el Cuarenta saca buenas calificaciones, que casi nunca se pelea con sus papás, que en general es un “buen muchacho”, pero de repente me pareció que el Cuarenta no es feliz y que, en dos minutos, me hubiera cambiado el lugar cuando casi siempre soy yo el que se lo quiere cambiar a él.

Y me dieron ganas de que no se me hubiera hecho con Marissa, y de que mejor se le hubiera hecho al Cuarenta con su conejito y feliz Navidad.

—Si quieres, le digo a Patricia que te gusta, Cuarenta.

—Y si tú quieres, te puedo agarrar a patadas.

Lo cierto es que, cuando terminaron las clases, quise ir en pos de Marissa y preguntarle si nos veíamos esa tarde en su casa. Durante toda la clase de Ciberfórmulas Espaciales Avanzadas estuve imaginándome que llegaba a segunda base de pie, pero no contaba con que el destino se iba a parar frente a mí con los brazos cruzados.

—El cementerio —dijo.

—¿Qué?

—Mañana. A las 11 en punto. En el cementerio que está en Avenida Cuauhtémoc. Nos vemos a las siete en mi casa para planear bien las cosas.

Que alguien como Cordelia te hable de panteones cuando lo único que quieres es reanudar el besuqueo con tu nueva novia por la tarde es como abrir un regalo y recibir una patada en el estómago.

—Se me acaba de ocurrir una cosa, Cordelia... Tú la llevas bastante bien con el profe Martorena, ¿no?

—Ajá...

—¿Qué tal si le preguntas por qué nos dice panquecitos remojados y nos olvidamos de esta porquería de proyecto? Si averiguo eso, me devuelven el derecho a reinscripción y ya no tengo que hacer ningún informe. ¿Qué te parece? Pregúntale y todos tan panchos.

Seguía cruzada de brazos, como uno de esos cadeneros que cuidan las entradas de los antros.

—¿A poco no te interesa saber por qué nos dice así? —insistí.

—A las siete en mi casa, Gutiérrez. Ya te dije. Y por cierto... —Cordelia me extendió un libro de Física con un papelito atravesado—. Por si te interesa saber qué pasó anoche. Marqué la página. Se trata de una turbulencia que se produce en los grifos mal cerrados.

—Claro. Ya lo sabía.

Desde luego que lo sabía, queridos amigos. Pero tomé el libro porque no me quedaba de otra. Y como Marissa ya había abandonado el salón, guardé mis cosas y huí de las garras del mismísimo Mefistófeles, representado en este informe por su apoderada legal. Alcancé a Marissa de milagro.

—Hola.

—Hola —me sonrió. Marissa siempre me sonríe.

Georgette y Liz sacaron un par de bazucas y un lanzallamas. Pero ya era inmune a ellas.

—¿Me invitas por la tarde a tu casa? —dije, por fin.

—Bueno. Podemos hacer la tarea de Historia juntos.

—Eh... sí, bueno. Llego como a las cuatro.

Claro, la tarea de Historia. El chiste era ir a casa de Marissa y aprovechar cualquier distracción para reanudar lo que habíamos iniciado por la mañana.

En ese momento, llegó mi mamá. En el coche, abrí el libro de Cordelia. La neta, queridos amigos, lo de ayer fue increíblemente tonto. El mentado fantasma que se la pasa corriendo a los veladores del Servicio Martínez no es otra cosa que una llave de lavabo que, por culpa de un empaque desgastado, se abre sola después de unas horas de no ser utilizada. Por eso durante el día no suena, porque, según Cordelia, los mecánicos entran y salen del baño constantemente. Y no me pregunten por qué, pero la mentada llave hace un silbido cuando está mal abierta (o mal cerrada, depende). De repente como que canta y produce un gemido fantasmagórico.

Pero el asunto no termina ahí. Cuando por fin comienza a correr el agua, resulta que la tubería está mal fijada en el subsuelo del taller y por eso comienza a pegar contra el cemento. Ésa es la explicación científica de los pasos del fantasma del taller del terror.

Cordelia tomó una stilson y apretó la llave del agua. Dejó una nota al dueño explicando el fenómeno y, a la 1:10 de la madrugada, ya estábamos subiéndonos al taxi del señor Medina.

Sé que para ustedes es igual de decepcionante que todo haya terminado así, queridos amigos. Y también creo que podría hacer que a varios de ustedes se les saltaran las lágrimas si les digo que tenía toda la intención de mandar el proyecto a volar para siempre, empeñarme en resolver el misterio de los panquecitos remojados y tratar de salvar mi reinscripción por ese lado.

No me veía yendo a ningún cementerio con Cordelia, pero, al llegar a mi casa, el Memo estaba hablando con alguien por teléfono. Y como me vio entrar, me pasó el auricular.

—Hola, Gumaro. ¿Cómo te fue en el taller mecánico? ¿Pudiste demostrar algo?

Era el Dire.

Mal plan. La cosa se ponía fea si ya empezaba a darme lata en la casa.

—No. No pudimos demostrar nada. Lo que creímos que era un fantasma era una cochina llave mal cerrada.

—Mmm... ni hablar. Pero no te preocupes. Confío en ustedes. Sé que van a entregar un informe que nos va a sorprender a todos.

—Sí, claro...

—¿Y Cordelia? ¿Te está ayudando? ¿Cómo se llevan?

—Bien.

Esto sí lo dije como con pena porque, evidentemente, era súper falso.

—No me mientas.

—Bueno... No, no tan bien. A veces nos peleamos, pero le juro que no ha habido golpes.

—Espero que los dos avancen juntos y que preparen correctamente sus informes. Este proyecto es muy importante para mí, ¿entiendes?

La verdad, no. ¿Cómo iba a entender? ¿Por qué se había vuelto tan importante demostrar la existencia de los fantasmas? Y si a la mera hora resulta que no existen, ¿yo voy a tener la culpa? Ustedes disculparán este momento de duda por parte de su servidor, pero me pareció que el Dire le estaba dando demasiada importancia a algo que, en principio, era una burla. Si hace una semana le hubiera dicho que mi único interés en la vida era la famosísima leyenda de las cebollas cantantes de Borneo, igual tendría que haber investigado esa tontería. Así que no. De repente, ya no entendí nada, pero igual le di por su lado.

—Sí, ya, pero... ¿y si descubro antes lo de los panquecitos remojados?

—Ah, bueno... eso cambiaría las cosas. ¿Estás avanzando por ese lado?

Bueno, tanto como avanzar... Durante la clase de computación me puse a *googlear* a todos los Horacios Yáñez del mundo. Y ninguno de los que encontré tenía cara de panquecito sin remojar. Lo primero sería averiguar su apellido materno y darle el dato al McCormick.

—Sí. Estoy avanzando —mentí un poco.

—Cuando tengas la respuesta, hablamos. Mientras, te encargo mucho ese informe.

—Sí, señor.

—Pásame a tu mamá, por favor.

Y eso fue todo. Le pasé a mi mamá y me fui a encerrar a mi cuarto, cargando sobre mis espaldas el pesadísimo encargo del Director, quien en un ratito me había echado a perder la tarde. Ya no me vi mandando al demonio a Cordelia, sino, por el contrario, acompañándola al panteón. Ya no me vi besando a Marissa, sino planeando una maravillosa velada al lado de la más castrosa del salón, rodeado de lápidas, buitres y murciélagos.

Pero la carne es débil, queridos amigos. Todavía no daban las cuatro de la tarde y ya estaba yo frente al edificio más bonito del Universo con mi cuaderno de Historia y un montón de gel en el cabello. Fue entonces cuando se me ocurrió la idea de comprar un barril e irme a vivir a esa esquina.

—Hola. ¿Está Marissa?

—¿De parte de quién?

—Del Gugu.

—Ah, sí. Sube.

La puerta del edificio se liberó y yo subí al cuarto piso por las escaleras.

Marissa me recibió con un beso en la mejilla y me presentó a su mamá y a sus dos hermanas. No nos besamos para nada porque estuvimos haciendo la tarea de Historia y comiendo galletitas con leche frente a toda la familia. Pero, lo que son las cosas, no me importó. Dos veces me agarró la mano por debajo de la mesa del comedor y un millón de luces se encendieron en mi cerebro y un millón de campanas comenzaron a repicar en mi cabezota.

Y ahora que escribo todo esto me pregunto por qué no tengo ni tantito sueño si apenas he dormido. Me pregunto, de hecho, cómo voy a volver a dormir si ese millón de luces no se apaga nunca, si ese millón de campanas no se callan nunca.

Marissa, Marissa, Marissa...

Sobre la existencia de los fantasmas

**Reporte Número 10**

10 de diciembre

Prof. Sergio Martorena R.
P R E S E N T E

Puesto que los lugares elegidos por el líder de proyecto han resultado ser un fraude, he decidido escoger uno yo misma. Es cierto que no hay razón alguna para creer que en un cementerio se aparecen espíritus, pero, dada la imaginería popular, no creo estar tan equivocada. De acuerdo a los sitios de caza-fantasmas en la Internet, muchas de las mejores apariciones ocurren en lugares donde hay cadáveres enterrados. Así que igual de bueno será este lugar que cualquier otro.

Atentamente,
Cordelia Sánchez Sanabria
Grupo 202

## Jueves 11 de diciembre

Tengo que confesarlo, queridos amigos:

Como no podía dormir, me puse a bajar canciones de Internet para quemarle un CD a Marissa, pero como no podía ponerle cualquier cosa, tuve que oír las rolas que no conocía para ver si no eran de esas mafufadas que escucha el Grumo.

La palabra clave, como podrán imaginarse, era *love.* Y como mis audífonos están descompuestos, tuve que prender las bocinas. Mi mamá se despertó como a las 12 canciones.

—¿Se puede saber qué estás haciendo?

—Nada.

—¿Cómo que nada, Gumaro? ¡Son casi las cuatro de la mañana!

—¿Las cuatro?

Se talló los ojos y se asomó a la computadora por encima de mi hombro.

—¿Qué haces?

—Estoy bajando canciones para mi novia.

Se sentó en mi cama, toda greñuda, empiyamada y empantuflada, pero sonriente. Es raro que mi mamá sonría, así que hay que poner atención cuando esto ocurre.

—¿Ya tienes novia?

—Sí. Se llama Marissa.

—¿La hija de Lulú? —dijo un poco sorprendida—. Mira, es una niña linda. Quién te viera...

Se acercó al monitor y señaló una canción que llevaba 75 % de avance en el *download.*

—Esa es de los Beatles. Le va a gustar.

Luego se sentó, subió los pies a mi cama y abrazó la almohada. *P.S. I love you* avanzó a 77 %.

—¿Cómo vas con tu informe? Me estás costando una fortuna en taxis.

—No tan bien —admití—. El fantasma de antier resultó ser un fraude.

—A lo mejor... —suspiró— ... a lo mejor los fantasmas no existen, ¿no, Gumaro?

—Pues a lo mejor. Por eso tengo un plan B.

—¿Cuál?

—¿Sabías que el profesor de Física nos dice "panquecitos remojados"? Pues si averiguo por qué nos dice así, recupero mi derecho a reinscripción.

—¿El profesor Martorena? ¿Sergio Martorena?

—Sí. El que nos dio Mate el año pasado.

Mi mamá se quedó pensativa.

—¿Sabes por qué da clases en tu escuela?

—Mmm... No, no creo.

—El profesor Martorena también da clases en la Facultad de Ciencias de la UNAM. Tiene un doctorado y es toda una eminencia. ¿No te parece curioso que dé clases en secundaria?

La luz del monitor la hizo ver un poco rara. Como si se hubiera transformado en uno de esos personajes súper sabios, greñudos y empantuflados que salen en las películas, y que aparecen de la nada para revelar al héroe el misterio que los hará triunfar.

—¿Tiene que ver con los panquecitos remojados? —pregunté entusiasmado.

—No lo sé. Aunque... Estaba pensando que tal vez eso es lo que el Dire quiere que averigües.

Me puse de rodillas y le tomé las manos.

—¡No puedes hacerme esto! Si sabes algo, tienes que decírmelo. Por favor, por favor, por favor...

Pensé arrojarme al suelo y hacer mi imitación de un gusano al que le echan gasolina y le prenden un cerillo, pero hasta eso que mi mamá, cuando quiere, puede ser bastante piadosa.

—Puedes ir a visitar a tu abuelo.

—¿Al Avilita?

—No. Al doctor Gutiérrez.

—¿Por qué?

—Porque tiene que ver con él y con la época en que vivía con tu padre en Tlatelolco.

A mí ya no me gustaba cómo empezaban a pintar las cosas. Ya les he dicho que nunca me he sentido nada a gusto con el doctor Gutiérrez. Nunca pierde la compostura ni la cara de estar posando. Les puedo apostar que a mí y al Memo nunca nos ha dado un abrazo, ni siquiera cuando éramos bebés. Y siempre nos trata como si fuéramos a incendiarle las cortinas.

Mi mamá se levantó de la cama. Al final, eso es lo que hacen los personajes súper sabios de las películas: darte la pista y echarse a correr o desaparecer en la niebla. Pero ella, en lugar de eso, me dio un beso en el cabello.

—Oye, ma... —me animé a preguntar antes de que abandonara definitivamente mi habitación—. ¿Qué tan terrible crees que sería para mi papá que perdiera mi derecho a reinscripción?

—Mira, Gumaro, si repruebas todas las materias del año escolar o si te corren de todas las escuelas de la ciudad, tu papá y yo seguiremos queriéndote porque eso es lo que hacemos los padres: querer a nuestros hijos, aunque nos pese. SIN EMBARGO...

Fue muy enfática en ese "sin embargo". A lo mejor ya se estaba transformando de nuevo en mi madre.

—... por eso SIEMPRE les procuramos aquello que consideramos que es mejor para ustedes. Según tu padre, lo mejor para ti es que estudies en el Instituto Académico Superación, opinión que comparto. Y no porque sea una escuela de paga o porque quede relativamente cerca de aquí, sino por otras razones. Una de ellas es que puedas tomar clases con el profesor Martorena.

—En pocas palabras, sería súper gacho para él que me echaran.

—Exacto.

Volvió a acariciarme el cabello. Me sentí un poco apachurrado frente a mi lista de canciones amorosas. Se había vuelto crucial que los fantasmas existieran o que, en su defecto, diera con el panquecito sin remojar y averiguara el significado.

—Me da la impresión de que el Dire sabe muy bien por qué te encargó el informe, Gumaro. Por eso es que, en estos días, te he dado una tregua.

En efecto, ahí estaba. Mi madre de carne y hueso.

—No te he pedido cuentas de nada: ni de tareas, ni de exámenes, ni de por qué andas de un lado a otro sin el Avilita —chin, amigos, yo no sabía que estaba enterada—. Así que ten en cuenta que yo también estoy muy interesada en leer tu informe.

Otro beso en la cabeza y adiós. Ya había bajado *P.S. I love you* y otras 14 canciones. Suficientes para dejar un disco quemándose y echarme en la cama.

Lo siguiente se los cuento como si ocurriera en 10 segundos porque así lo sentí. Mi mamá gritando ¡Despierta, Gumaro! Luego baño, desayuno y al auto. ¿Sí me puse calcetines? El Cuarenta compungido porque no se atreve a hablar con Paty ni a tronar a Tania. ¿Mencionó que piensa huir a la selva Lacandona o fue mi imaginación? Beso en la mejilla de Marissa y a mi lugar. ¿Me saludaron Liz y Georgette o fue mi imaginación? Clases. Cordelia hablándome en turco con un libro gordo en la mano. El profe de Música gritando "¡Despierta, Gumaro!". Clases y más clases.

Sólo hasta que sonó la chicharra del primer recreo volví a ser yo mismo. Considerando mi falta de sueño, fue un verdadero milagro que no despertara en un autobús a Coahuila. Claro que, ¿quién puede estar adormilado si tiene en el horizonte la posibilidad de pasar el recreo en el Jardín del Pulpo?

—Cuarenta, préstame $10 pesos.

—¿Qué le hiciste a los $500 del sábado?

—Tuve que pagar algunas deudas. Préstame $10 pesos, ándale.

—¿Y lo que te da tu mamá para el lunch?

—Es para el lunch. Ándale, préstame $10 pesos.

Me los dio con gran pesar, quizá porque le apliqué la doble Nelson. Lo bueno fue que, en tres segundos, ya estaba frente a la banca de mi noviecita. Y para mi sorpresa, Liz y Georgette me saludaron de nuevo como si no tuviera sarna. Así que quizá no fue mi imaginación.

—Acompáñanos a la tienda y a platicar, Gugu, ándale —dijo Marissa.

Me dolió gastarme mis $10 pesos en una quesadilla extra, pero el chiste era andar con Liz de la mano, digo, con Marissa, a pesar de que tuve que aguantarme la plática sobre modelos de zapatos y pulseras. ¿En realidad me hizo ojitos Georgette o...? Apenas quedaban cinco minutos de recreo cuando le dije a Marissa que tenía que ir al baño, aunque, en realidad, quería volver a la tiendita.

—Señora, véndame un café.

—Ya sabes que no puedo vender café a los alumnos, Gugu. No des lata.

—Es de vida o muerte, señora. Hace ratito casi le doy la mano a la amiga de mi novia.

—No puedo, Gugu.

Se acabó el recreo y yo tuve que volver al salón sin café y con la misma cantidad de sueño. Lo siguiente que recuerdo es al profe de Historia recogiendo las tareas. Y adivinen a quién se le pasó entregarla porque no se acordó de que sí la había hecho...

Cuando sonó la chicharra del segundo recreo, me acordé súbitamente de que tenía una misión muy importante que cumplir.

—Gugu, ¿nos acompañas a ver la bolsa que se compró Claudia? —preguntó mi encanto de novia.

No es que no me chifle la idea de ir a conocer la bolsa nueva de la hermana de Liz, pero, la neta, tenía algo muy importante que hacer.

—Tengo que ir a la Dirección, Marissa.

—Mmm... bueno. Nos vemos al rato.

Cuando llegué al escritorio de la señora Borbolla, la encontré chateando con una amiga. Estoy convencido de que tiene el mejor trabajo del mundo. Hasta me dieron ganas de preguntarle si hacía falta estudiar para ser secretaria de un director de escuela. A lo mejor ése es mi verdadero destino. Pero en cuanto me vio, interrumpió su ciberplática.

—Esto es tuyo —dijo, extendiéndome un papelito—. Lo dejaste aquí el otro día.

Lo tomé. Era el *Post-it* en el que había anotado el nombre del panquecito sin remojar.

— Precisamente a eso vengo, señora Borbolla.

Miré la puerta de la Dirección. Por suerte, estaba cerrada, lo cual me daba más libertad para maniobrar.

—No vayas a salir con una de tus cosas...

—¿Desde cuándo trabaja usted aquí?

—Desde hace dos años.

—Es que quería saber si no sabe cuál es el segundo apellido de Horacio Yáñez, un alumno que estudió aquí hace cinco años.

—¿Para qué?

—Es para lo de mi informe.

—¿Qué tiene que ver este alumno con los fantasmas?

A lo mejor fue por mi cara de no haber dormido más de cuatro horas en los últimos tres días, pero el caso es que se apiadó.

—A ver, ven para acá.

Me condujo a la sección del archivo escolar, un pequeño anexo al lado de la Dirección. Al entrar, cerró la puerta con sigilo y encendió la luz. Había varios archiveros, un montón de trofeos y fotografías colgadas en las paredes. Se dirigió a uno de los archiveros y comenzó a esculcar entre los fólders.

—¿Hace cinco años, dices?

—Bueno, en realidad debe haber ingresado a la escuela hace siete. Hace cinco estaba en tercero.

Ella dio con el expediente después de una breve búsqueda. En la pestaña del fólder aparecía el nombre completo: Horacio Yáñez García. Hubiera preferido que se apellidara Bellinghausen, pero bueno, era mejor que nada. Se puso a revisar el expediente fuera de mi vista.

—¿No viene ahí la dirección de su casa?

—No, pero...

—¿Pero...?

Algo la había intrigado.

—No sabía que este alumno tenía algo que ver con la mentada "Ley Yáñez".

—¿La ley Yáñez?

—Es una ley que a veces mencionan los profesores entre sí. Yo no la conocía. Hasta ahora. Creí que era una especie de chiste...

—¡Déjeme ver, por favor!

—No, Gumaro —apartó el expediente—. Querías el segundo apellido, pues ahí lo tienes.

Me dieron ganas de hacer mi actuación del gusano consumido por las llamas para apelar a su misericordia, pero sabía que era inútil.

—¿Puedo ver su foto aunque sea? ¿Por favor?

Torció la boca y, como no queriendo, me mostró la foto del panquecito sin remojar. Era un muchacho cualquiera, quizás un poco orejón.

Revisé las fotos en las paredes y por fin encontré la de la generación que me interesaba. En efecto, ahí estaba el panquecito sin remojar. Su rostro sonriente difería bastante de la foto que me había mostrado la señora Borbolla. En el instante en que les habían tomado esa foto, el profesor Martorena le mostraba una pequeña campana.

"Felicidades, señor Yáñez. Felicidades, señor Yáñez. Felicidades, señor Yáñez."

Creí que me volvía loco. Una campanita. La ley Yáñez. Los panquecitos remojados... ¿Y si me aventaba por la ventana? Eran tres pisos. En el hospital pediría, como última voluntad, saber en qué consistía la ley Yáñez, el por qué de la campanita y qué demonios implica dejar de ser un panquecito remojado...

Sonó la chicharra y la señora Borbolla cerró el expediente de golpe.

—Ya se acabó el recreo, Gumaro, y yo todavía tengo muchas boletas que imprimir.

Me cayó gorda. Como si no hubiera estado chateando cuando la encontré. Presentí que, si hubiera podido averiguar de qué se trataba la famosa Ley Yáñez, habría estado muerto de risa develar el misterio de los panquecitos remojados.

Entonces tuve una idea y salí corriendo como bólido. Tal vez no fuera tan difícil enterarse. Creo que di como mil vueltas antes de dar con Beto, el profesor de Mate. Estaba a punto de entrar en el salón en donde le tocaba dar clase.

—¿Qué te pasa, Gugu? ¿Por qué no estás en tu salón?

—Beto… por favor… es de vida o muerte… —dije, tratando de no escupir los hígados por el esfuerzo.

—¿Qué pasa? No me asustes.

—Necesito saber… de qué se trata la "Ley Yáñez".

Hagan de cuenta que le pregunté por qué se viste de mujer a escondidas.

—No sé de qué me hablas —dijo todo serio y se dispuso a entrar en su salón.

—En serio, Beto. Porfa. Es para salvar a un amigo que tiene leucemia.

—Te lo juro, Gugu. No tengo idea de qué me hablas.

Me recargué contra la pared y lo dejé entrar en su salón. Mal plan. Si lo hubieran visto, les habría quedado tan claro como a mí que tenía la mentirota pintada hasta en las orejas. Pero ni modo de obligarlo a que me contara si ya vi que se trata de un verdadero secreto de seguridad nacional.

Las cosas no mejoraron cuando regresé al salón. Cuando Marissa me vio, me echó ojos de pistola. Me enteré de qué le pasaba a media clase, cuando me hizo llegar un papelito que decía:

*¿Por qué me dijiste que tenías que ir a la dirección si te fuiste a jugar Números?*

Queridos amigos, jamás entren en su salón de clases todos sudados si no quieren que su novia crea que la engañan con una pelota de esponja. Lo bueno fue que no me costó tanto trabajo contentarla. Llevaba conmigo un disco lleno de canciones de amor que consiguió que me diera un beso de piquito a la hora de la salida.

Mientras esperábamos a mi mamá, el Cuarenta me confesó que con Tania no se había movido de la banca. Ni turno al bat, mucho menos base por bola.

—¿Ni siquiera se besan de piquito?

Sacudió la cabeza con tristeza. No me costó trabajo entender por qué quería tronar con ella y empezar algo, lo que fuera, con Bugs Paty. Mi pobre amigo también teme morir virgen.

—Siempre me dice que estamos muy chicos —explicó—. El problema es que me lo dice desde que empezamos a andar en quinto.

—Cuarenta, es hora de que comiences a vivir. Mañana mismo le digo a Patricia Asunción que te tiene en situación de calle, vas a ver.

—Y yo mañana mismo destruyo toda tu colección de *Star Wars*, toda tu recámara, toda tu computadora y toda tu vida.

Pobre del Cuarenta. Estar enamorado es como quedarte encerrado en un clóset con diarrea. Sabes que tarde o temprano va a ocurrir lo peor y que nadie va a poder ayudarte. Y cuando digo lo peor, me refiero a que el 99.9 % de los casos siempre terminan en batidillo: la chava que te gusta te manda al demonio y tú te quedas solo, en la oscuridad, hecho una porquería. Claro que el 0.1 % de las veces ocurre que una verdadera hermosura abre la puerta, te rescata y terminas besuqueándote con ella en el Jardín del Pulpo.

Y hablando de salvadoras... Marissa tuvo clase de piano y no pude ir a verla por la tarde.

Y hablando de batidillos... como esa tarde no ocurrió ningún cataclismo nuclear como yo ilusoriamente esperaba, tuve que apersonarme en casa de Cordelia a las 7:00 p.m.

Cordelia se tardó horas en abrirme la puerta de la calle. Y cuando por fin subí a su departamento, me la encontré llorando. Ella lo negó, pero tenía una cara tan deprimente, que nada más le faltaba un letrero para hacerlo más evidente.

—Pásale —me dijo y se metió en el baño.

Me quedé solo y empecé a deambular por la sala mientras la esperaba.

En realidad, queridos amigos, la casa de Cordelia no tiene nada de especial. Los muebles son un poco viejos y la televisión todavía es de esas gordas, pero en general es un departamento como cualquier otro. En la pared había fotografías, algunos cuadros y unas placas de metal medio raras. Sobre la mesita de centro había una foto que capturó mi atención: era de una chava muy bonita en compañía de sus padres, a la orilla del lago de Chapultepec. La niña sonreía como si no le preocupara nada, como si toda su felicidad dependiera de pasar un domingo soleado con sus papás. Pensé otra vez que se parecía a alguien de la tele o del cine, pero no di con quién.

La computadora ocupaba un lugar en la sala, junto al sofá, sobre un escritorio que desentonaba bastante con los muebles. Una pantalla de Windows 98 delataba que el CPU era como del siglo XIX. A un lado, había un montón de hojas y no pude evitar asomarme a ver de qué se trataba. Eran los informes de Cordelia, dirigidos al profesor Martorena. La verdad, queridos amigos, me dio un poco de pena pensar en este informe, por muy preliminar que sea. Ella usaba un lenguaje todo engolado y bien profesional, y muchos tenían anexos, cuadros, gráficas y una cantidad de cosas que yo no podría terminar ni en un millón de años. No era para nada la sarta de bobadas que yo les cuento todos los días.

Cordelia salió del baño como 10 minutos después.

—Ya, perdón —se disculpó—. Es que a veces me da una alergia bien rara.

Se sentó ante la mesa del comedor y sacó un cuaderno de su mochila. Se sonaba los mocos con un klínex hecho bola. Bien sexy, ella.

En ese instante, me acordé. Katie Holmes. La chava que salía en *Dawson's Creek* y que después se casó con

Tom Cruise. La chavita de la foto se parecía un montón a ella. Katie Holmes en el Lago de Chapultepec, aunque un poco más cachetona.

—¿No que no tenías hermanos?

—No tengo.

—¿Y la chavita de la foto?

Ni siquiera me contestó. Me cayó el 20 en seguida. Era ella, años atrás. Bonita y delgada.

—Tenemos que planear la visita al cementerio. No quiero que perdamos el tiempo.

—Tú di rana y yo brinco —me apresuré a decir.

Se puso a hacer anotaciones que a mí, para variar, me parecieron exageradas. Pero vayan ustedes a saber si no andaba sensible o algo, así que preferí medir mi dosis de graciosadas.

—*¿Elektra?* —pregunté, al cabo de un rato.

Levantó la vista justo hacia una de las placas metálicas sobre la pared que decía "100 representaciones".

—Mi papá era actor de teatro clásico.

Leí en voz alta algunas de las otras placas que cubrían toda una pared de la estancia. Martín Sánchez Castrejón en *Otelo, Lisístrata, Sueño de una noche de verano, Los empeños de una casa.*

Si quieren que les diga la verdad, yo sólo he ido una vez al teatro. Vi una representación de *Peter Pan* súper chafa en la que el protagonista volaba por el escenario con un mecatote que a mí me hizo pensar que el teatro era una mala versión del cine. Pero las plaquitas de la casa de Cordelia me hicieron suponer que había algo más detrás de eso. *Romeo y Julieta. La Celestina.* Nada de eso sonaba a un tipo casi calvo con mallas verdes colgado del techo y gritando que puede volar.

—¿Ya sabes qué vas a ser de grande? —se me ocurrió preguntarle.

—Éste es el programa que se me ocurre que sigamos... —me pasó el cuaderno, evadiendo mi pregunta.

Yo no quise ni verlo. La verdad, todo eso parecía la antesala de otro gran fracaso, idéntico a los anteriores. De repente las lágrimas que Cordelia ocultaba tras su klínex, las plaquitas de teatro, el protector de pantalla de Windows 98 a la distancia... Todo me hizo sentir que teníamos que ser muy honestos por una cochina vez en la vida. Ni ella ni yo queríamos estar metidos en esto, ¿para qué seguir adelante?

—Cordelia... ya, en serio... ¿de veras quieres que vayamos al cementerio?

—No, pero ni modo. Hay que ir.

—Yo tampoco quiero ir. Todo esto me parece una pérdida de tiempo.

Se cruzó de brazos y me confrontó. No estaba enojada, pero... No sé, estaba muy rara.

—¿Entonces qué? ¿Ya no crees en los fantasmas?

—Ni siquiera sé si alguna vez lo creí.

—¿Ah, sí? ¿Y entonces por qué demonios NOS metiste en esta babosada?

—Ya sabes. Soy el rey de los tarados. El Dire me dijo que hiciera un trabajo científico de algo que me interesara y yo salí con los fantasmas... Ni siquiera sé por qué te metió a ti. Bueno, sí sé. Se supone que tú te ibas a encargar de que yo hiciera bien las cosas, pero la neta es que estás en esto tan a disgusto como yo. ¿Para qué seguimos haciéndonos mensos?

Se puso de pie, fue al baño y tiró el klínex. Tenía los ojos hinchados, pero ya no moqueaba.

—¿Por qué no pones en tu informe que los fantasmas sí existen y terminamos con todo esto?

Se detuvo en el pasillo y me miró.

—¿Estás hablando en serio?

—Ya sé que es como hacer trampa, pero... —no supe cómo continuar. Era obvio que Cordelia jamás accedería a algo así.

—Te pasas, Gutiérrez —se volvió a sentar.

La neta, ¿a quién le importaría? Si Cordelia escribía que habíamos visto un fantasma con ese tono ceremonioso que le sale tan bien, terminaríamos la tortura en dos patadas y feliz Navidad. El próximo año nadie se acordaría de nuestra tonta investigación.

—Si quieres renunciar, hazlo —dijo sin enfado—. Puedo informar que te diste por vencido y ya. Mi única labor es supervisar tus avances. Si quieres detener la investigación, por mí, adelante.

Sí, pero... ¿y si nunca daba con el panquecito sin remojar? ¿Y si termino limpiando parabrisas o pidiendo limosna? Me deprimí mala onda. Hasta creí que yo también terminaría moqueando un klínex.

—No, bueno. Está bien —me resigné—. Hay que ir al cementerio.

Mientras me explicaba el programa de la noche, yo sólo pensaba en que no había hablado con el McCormick para pedirle que averiguara todo sobre Horacio.

A las 9:30 pm llegó la mamá de Cordelia, una señora muy simpática pero con una cara de agotamiento como sólo se ve en las películas de guerra. Se fue a dormir de inmediato. Una hora después, yo ya estaba mareado de tanto rigor científico. Afortunadamente, el señor Medina llegó puntualito a casa de Cordelia.

Tengo que decir que, mientras Cordelia me explicaba todo su rollo, dejó de parecer un robot o un sargento. Incluso hasta se esforzó para que yo comprendiera la importancia de seguir un proceso, ser estrictos, sistemáticos y objetivos. Y aunque yo tengo tanta cabeza para esas cosas como un pavo al horno, entendí casi todas sus explicaciones. Me invitó pan dulce con leche y no nos peleamos. Todo un récord, tomando en cuenta que estuvimos juntos más de tres horas en el mismo sitio sin un árbitro de por medio.

Todo hubiera ido bien de no ser porque el cementerio no sólo estaba cerrado, sino que resultó que le habían visto la cara a Cordelia. Le habían pedido $250 pesos para que mantuvieran el cementerio abierto, y ahí estábamos los dos, con un palmo de narices. Me causó gracia que, siendo tan lista para otras cosas, la hubieran engañado tan fácilmente con lo de los $250 pesos. Ya me estaba trepando a un contenedor de basura para entrar a la mala cuando ella me detuvo.

—Mejor lo dejamos para mañana —dijo.

—¿Estás segura?

—Sí. Honestamente, estoy cansada.

Como el señor Medina seguía ahí, nos fuimos de inmediato. En el trayecto, le pregunté:

—¿Y adónde te vas de viaje?

—¿Para qué quieres saber?

—Nada más. Yo no voy a salir a ningún lado de vacaciones. Mi familia nunca sale en Navidad. Siempre terminamos cantando villancicos y partiendo piñatas en casa de mi abuelo materno.

—A la playa. Me voy a la playa —dijo, mirando la calle con nostalgia a través de la ventana.

—Qué envidia —respondí.

Y no volví a pensar en el asunto.

Sobre la existencia de los fantasmas

**Reporte Número 11**

11 de diciembre

Prof. Sergio Martorena R.
P R E S E N T E

Tengo que reconocer que el día de hoy avanzamos poco en nuestra investigación. Fue mi culpa. No contaba con que no podríamos entrar en el cementerio a la hora programada.

De cualquier modo, fue una suerte poder explicar al líder del proyecto los requerimientos de nuestro trabajo. Usted disculpará, en esta ocasión, lo escueto de mi informe. Mañana procuraré ponerme al corriente.

Atentamente,
Cordelia Sánchez Sanabria
Grupo 202

## Viernes 12 de diciembre

Felicidades a todas mis colegas científicas llamadas Lupitas. (Tan tararán tan tan, fanfarrias con maracas y trompetas.) Dicho lo cual, pasemos a nuestro informe:

A. El McCormick localizó sólo a dos Horacios Yáñez García. Uno tiene 52 años. El otro es español y vive en Madrid. Me lo acaba de decir en el *chat*, así que voy a tener que recurrir al plan C, que no me gusta nada: ir a casa del doctor Gutiérrez a preguntarle qué onda con el profe Martorena. En una de ésas, me dice que él inventó lo de los panquecitos remojados. No me importaría que me diera un par de nalgadas con chicote a cambio del dato. Y esto lo digo porque el asunto de los fantasmas nomás no avanza. Ya lo verán al final de esta bien ordenada entrega.

B. El Cuarenta le dijo a Tania que ya no quiere andar con ella. Utilizó la típica técnica de "no eres tú, soy yo", pero aún así fue como si se hubiera desatado la Tercera Guerra Mundial. Pero no por lo que ustedes creen: Tania no se molestó, sino que hasta le dijo al Cuarenta que era mejor así y que qué bueno. El Cuarenta le reclamó su frialdad y se azotó contra las paredes. Al final, cuando me llamó al celular para contarme, justo cuando estaba yo en pleno cementerio, mi mejor amigo me dijo que a lo mejor ninguna chava lo quiere ni lo va a querer nunca. Tuve que oír sus llorosas quejas con voz de pito hasta que le sugerí que llamara al Mayonesa, que para eso se pinta solo.
C. Nos entregaron las boletas del bimestre. Una verdadera masacre, queridos amigos. Ahora sólo pasé Español, Educación Física y Música (ésta última porque soy el único ser humano en el planeta capaz de tocar el concierto para carrito de camotes y orquesta en mi flauta). Súper mal plan. Y eso que todavía no le enseño la boleta a mi mamá. Eso sí que será un verdadero cataclismo.
D. Marissa y yo entramos en recesión. En el primer recreo, maravilla de maravillas, fuimos al Jardín del Pulpo. No los voy a cansar con el recuento de los detalles porque todo fue idéntico al primer día. Lo malo es que Marissa reprobó tres materias y la castigaron. Por eso no pudimos vernos por la tarde y tampoco nos vamos a ver el fin de semana. Súper mal plan. Está visto que yo no he de darle la vuelta al diamante en esta vida, queridos amigos. Una pena. Tal vez lo mío sea la vida célibe en un convento.

Para haber sido el primer día de la semana que pude dormir como mandan los cánones de salud aplicables a un estudiante modelo de secundaria —es decir, unas 10 horas o más— mi suerte empezó a caer en picada desde que inició el día.

El Cuarenta anunció desde temprano que iba a tronar a Tania y estaba peor que un sentenciado a muerte (referirse al hilarante inciso B). Luego tuvimos una hora libre porque la maestra de Español no llegó y, como no había prefectos disponibles para hacer sonar el látigo, el Dire nos dejó salir al patio con la condición de que no hiciéramos ruido para no despertar a los que tomaban clase en ese momento.

Ustedes dirán que eso parece ser muy buena suerte. Y probablemente lo hubiera sido si todos mis compañeros no hubieran aprovechado para ir a recoger su boleta con la señora Borbolla. Marissa también quiso enterarse de cómo le había ido en la feria (ver inciso D). Yo, en cambio, no estaba de humor para confirmar lo que ya suponía. Por eso preferí tirarme de panza a tomar el sol en una de las bancas del patio y esperar a que nuestra súbita hora libre se uniera al segundo recreo.

Ahí hubiera agotado los 50 minutos de Español y los 20 del segundo recreo si no hubiera sido porque de pronto alcancé a ver, como si fuera un regalo del cielo, al profesor Martorena comprando un café en la tiendita. El profe Martorena solo. Y yo solo. Un regalo del cielo, les digo. Corrí hacia él.

En cuanto le entregaron su vaso de unicel echando humito, me acerqué como si la fresca mañana.

—Hola, prof.

—Qué hay, panquecito.

Le dio un sorbo a su café y caminó en dirección al salón de maestros, el único sitio al que no podría seguirlo ni con tanque de guerra. Tenía que ser rápido.

—¿Cuántos fantasmas has documentado hasta ahora, Gumaro?

—Uuuhh... —dejé escapar.

—Ya sólo te queda una semana. Estoy ansioso por escuchar tu informe.

—Oiga, prof, no sabía que daba clases en universidad.

—Sí, también doy clases allá.

—¿Y a poco a los alumnos de la universidad también les dice panquecitos remojados?

—No —sonrió—. Pero eso no significa que no lo sean. Es pura nomenclatura.

—Ah...

Siguió caminando al paso que se lo permitían su bastón y su pierna. Yo iba a su lado tan pancho, tratando de idear qué hacer para que me develara el misterio sin salir muy raspado.

—Profe, por cierto... ya sé quién es el alumno que sí pudo sacudirse el título de panquecito remojado.

Disminuyó el paso de su andar. Me regaló una mirada alzando sus canosas y pobladas cejas.

—Horacio Yáñez García.

—Buen trabajo, panquecito... —retomó su camino.

—Se me ocurrió que tal vez le gustaría que comentáramos la famosa "Ley Yáñez".

Volvió a detenerse. Sonrió y me revolvió el cabello.

—Buen intento, panquecito... —siguió caminando—. Buen intento.

Se me agotaban las ideas. Tal vez sería más efectivo que me rociara con petróleo y amenazara con inmolarme frente a todo el alumnado si no confesaba la verdad.

—También me preguntaba... —aventuré— ... si siempre carga con usted la campanita.

Nuevamente se detuvo. Ahora sí parecía verdaderamente asombrado. Tal vez estaba muy cerca de resolver el misterio. Se llevó la mano al interior de su saco café. Sentí que estaba a punto de mostrarme la famosa campanita, que estaba a punto de contármelo todo. Pero tras un instante de medirme con la mirada, sonrió, sacó la mano de la bolsa de su saco, se dio la media vuelta y continuó su camino.

Me quedé anclado al pasillo. Lo vi alejarse al salón de maestros, rengueando como siempre, enigmático como siempre.

Llegó el segundo recreo y, como no vi a Marissa por ningún lado, me fui a formar para que me entregaran mi boleta (ver inciso C). Nueve reprobadas. Ni para qué abundar.

Cuando encontré a mi noviecita, fue imposible convencerla de que continuáramos lo iniciado en el primer recreo. Los 20 minutos se me fueron en consolarla por sus tres reprobadas.

—Yo reprobé nueve.

—¿Y?

—Puedes decirles a tus papás que, comparada con otros alumnos, eres un Albert Einstein sin bigote.

No conseguí hacerla reír. Y me sentí peor porque en aquella célebre poesía en mensajes SMS le había dicho que el Gran Gugu podía conseguirle lo que quisiera, incluyendo puros dieces en la escuela. Está visto que el amor no lo puede todo, por mucho que lo repitan las malditas canciones del radio.

De vuelta a casa, el Cuarenta estaba más nervioso y temblorino que un perro chihuahueño mojado (ver de nuevo el maravilloso inciso B). Hasta le ofrecí llamar a Tania y avisarle que ya estaba pelas para que se dejara de angustias, pero no quiso.

Les juro que cuando dieron las seis, por increíble que parezca, sentí alivio de que me llamara Cordelia.

—Hola, Gutiérrez. Estaba pensando que deberíamos ir al panteón antes de que lo cierren.

—¿Y luego?

—Nos escondemos hasta que anochezca.

—Ahorita le hablo al señor Medina y pasamos por ti.

Lo malo fue que el señor Medina no tenía prendido el celular. Lo bueno fue que mi mamá no tenía nada mejor que hacer y se ofreció a llevarnos. Lo malo es que no me atreví a decirle de mis calificaciones. Lo bueno fue que no me preguntó por mi boleta en todo el camino. Lo malo... lo malo... No, ahí termina la cadenita.

Eso sí, fui el más cordial y atento de los hijos mientras iba a su lado en el coche.

—Mami, ¿quieres que ponga tu estación en el radio?

—¿"Mami"?

—¿Quieres que te dispare unos pistaches con lo que me sobró del lunch?

—¿Y a ti qué te pasa, eh?

Afortunadamente, no había mucho tráfico y llegamos a la colonia Doctores súper rápido. Subí a ayudarle a Cordelia y me di cuenta de que tenía otra cara. Una muy distinta de la de ayer. Creo que hasta se peinó y se pintó un poco.

—Mamá, ella es Cordelia Sánchez.

—Sí, te conozco —dijo mi mamá al saludarla—. El Director me ha hablado de ti.

—Gracias por el aventón, señora.

Se subió al coche y en dos patadas estábamos frente a las puertas del cementerio. Todo un súper plan de viernes, meternos en un panteón a esperar que nos metieran un susto.

—¿Quieres que pase a recogerlos, Gumaro? —se ofreció mi madre cuando se estacionó. Si seguía portándose linda conmigo, iba a ser imposible que le enseñara mi boleta llena de reprobadas.

—Eh... no sé, ma...

—Si quieres, te pongo crédito y me llamas cuando terminen.

Lo dicho. Iba a acabar aventándome por la ventana de mi cuarto antes de atreverme a decirle que había reprobado nueve materias.

—No sé, ma...

—Bueno. Pónganse suéter porque se ve que va a hacer frío.

Cuando Cordelia y yo nos quedamos solos en el panteón, sentí una gran pesadez. Como si entrar en el cementerio fuera más difícil que subir hasta el último piso de la Torre Latinoamericana a pie. No sé por qué me dio la impresión de que el destino estaba a punto de hincarme el diente como de costumbre.

—Qué buena onda es tu mamá, Gutiérrez.

—No creas. La mayor parte del tiempo está deseando que me secuestren para poder rentar mi cuarto.

Entramos en el panteón como si hubiéramos venido a traer flores a algún familiar. Nadie se fijó en los grandes bultos que llevábamos. La idea era escondernos detrás de una cripta a esperar que anocheciera y montar el equipo. En cuanto nos sentamos, Cordelia abrió la boca por sí misma. Y no para decirme que soy un tarado irresponsable ni nada por el estilo.

—¿Cómo te fue de calificaciones?

No era una pregunta como para iniciar una bella amistad, pero al menos no pintaba para que termináramos agarrándonos de los pelos.

—Del nabo —admití—. Sólo pasé tres. ¿Y tú?

—Bien.

—¿Puro 10?

—Casi. Sólo saqué nueve en Español —(acudir al penoso inciso C).

Se me antojó sacar las dos tortas que había preparado mi mamá. Si corría con suerte, Cordelia me cedería la suya. No fue así, pero no me importó.

—¿Cómo le haces?

Se encogió de hombros.

—En serio...

—Causa y efecto. Si estudias, pasas. No creo que haya ningún secreto.

—Mi problema es que entre estudiar y jugar o chatear o leer o ver la tele o contar los mosaicos del piso de mi cuarto, siempre escojo cualquiera de estas cosas. No sé qué me pasa, te lo juro. A lo mejor lo mío no es el estudio. A lo mejor de grande tengo que poner un puesto de películas pirata para no morirme de hambre.

No me contradijo. Siguió comiéndose su torta tan pancha. Ya comenzaba a enfriar, así que abrí el termo y serví un par de cafés.

—¿Y a qué playa te vas?

—Este... todavía no sé.

—¿Y eso?

—Mi mamá me dijo que era una sorpresa.

—Qué chido. ¿Cuándo dices que te vas?

—El miércoles —se volvió a quedar pensativa. Se veía que le encantaba la idea de su viaje.

En ese momento me llegó el mensaje de que mi mamá me había depositado $100 pesos en el celular. Ya se imaginarán a quién le hablé para cantarle su canción. Apenas colgué para que me quedara crédito para una llamada. No fuera a ser que Cordelia y yo nos quedáramos para siempre encerrados en el cementerio por no haber tenido crédito para pedir auxilio.

—¿Andas con Marissa? —me preguntó a quemarropa. Parecía empeñada en ser otra.

—Sí —contesté sonriente—. Estoy que no me la acabo de felicidad.

—Bien por ti.

—Yo tenía la ilusión de llegar hoy a segunda base, pero la castigaron y no nos vamos a ver hasta el lunes.

—¿Segunda base?

—Sí. Eh... pensaba llevarla al cine y... ya sabes...

Me miró confundida y decidí explicarle:

—Es una forma de numerar tus avances. ¿Sabes algo de beisbol? —Cordelia negó con la cabeza—. Yo tampoco sé mucho, pero esto es bastante claro. Para anotar una carrera, tienes que recorrer cuatro bases. Llegar a primera es besar. Llegar a segunda es fajar. Llegar a tercera es tener sexo.

—Si la tercera es tener sexo, ¿qué pasa cuando llegas a cuarta?

—No se llama cuarta, se llama *home*. Y *home* es todo lo demás.

—¿Todo lo demás?

—Ya sabes, las cochinadas y esas cosas. Lo que sale en las películas porno.

De repente me sentí medio mal. Hablar de esas cosas con tus cuates es bien fácil, pero con una chava, aunque sea una castrosa, como que da un poquito de comezón.

—No sé si te acuerdas, cuando cachamos al primo del Cuarenta, de esa parte en la que...

—Sí —me interrumpió, alzando la voz—, ya entendí.

Nos quedamos en silencio. Empezaba a hacer frío. Al menos no estábamos peleando y eso ya era un gran avance. No sé cómo explicarlo, pero de pronto me pareció importante no decirnos de cosas ni insultarnos cada tres segundos.

En un ratito, todo a nuestro alrededor se pintó del mismo color de las piedras: gris y opaco. Nos terminamos las tortas y el café justo cuando la noche se nos echó encima. Me asomé del otro lado de la cripta y comprobé que ya no había nadie en la cercanía.

—¿Quieres que montemos el equipo?

Asintió sin entusiasmo. Lucía triste y apachurrada.

Montamos la cámara y la grabadora en silencio. Yo mismo deposité el medidor de campo electromagnético sobre una lápida y anoté la primera lectura de 22 miligauss. Todo un científico de patilla canosa.

Nos sentamos a un lado de la cripta y esperamos algún fenómeno que valiera la pena registrar. Sin embargo, dieron las 10 de la noche y aún no ocurría nada. El viento soplaba por entre los árboles y la oscuridad estaba bastante densa, pero, por alguna razón, no tenía miedo. Probablemente porque ambos sabíamos lo que ocurriría: absolutamente nada.

Como a las 10:15 retomamos nuestra conversación pese a estar "ensuciando" el registro con nuestras voces. A lo mejor fue porque estábamos rodeados de tumbas que se me ocurrió hacerle esa pregunta.

—¿De qué murió tu papá?

Se tardó un poco en responder.

Ya iba a decirle que no tenía que contestarme si no quería, pero al final dijo:

—De cáncer.

—Qué feo. ¿Y lo extrañas mucho?

Se encogió de hombros. A veces parecía que estaba en otro planeta. Y, otras, parecía una chava cualquiera, sólo un poco más obesa. No le quitaba la vista de encima a la pantallita de la cámara, que era la única luz a nuestro alrededor.

—¿De veras no sabes qué quieres ser de grande?

No respondió, así que se me ocurrió sugerir:

—¿Actriz?

Silencio.

—¿Científica?

Se puso de pie. De repente se me ocurrió que si Cordelia tampoco sabía qué quería ser de grande, entonces es muy probable que seamos la generación estudiantil más perdida de toda la historia universal de las generaciones estudiantiles. Es como si nuestro futuro fuera igual de negro que un panteón a unos cuantos minutos de la media noche. Y me sentí un poco abatido. Como que me parecía lógico que el futuro fuera negro para mí, pero para la más seria y responsable del salón, como que no me cuadraba.

Cordelia caminó por entre las tumbas. Alumbró las lápidas con la linterna y leyó en voz alta los nombres de los muertos, las fechas de nacimiento y defunción e incluso algunos mensajes: "Tu esposa e hijos te recordaremos siempre". "Te nos adelantaste en el camino." "Siempre estarás vivo en nuestros corazones."

¿Saben qué es peor que estar un viernes por la noche en un panteón con la última chava del salón con la que querrías tener una cita? Que esa chava se ponga a calcular la edad a la que los difuntos estiraron la pata. Cordelia de repente decía: 42 años, 71 años, 39. La que más le interesó fue la tumba de una niña de 11, pero a mí ya me empezaba a pegar un raro escalofrío. Como que sentí que a mi colega científica se le había zafado un tornillo.

—Mejor ya vámonos, Sánchez —me animé a decir.

Levantó la vista. Me dio miedito que ya estuviera poseída por algún espíritu maligno. Estuve a nada de brincarme la barda del panteón. A nada, porque en sus ojos se apreciaba un extraño cambio.

—Dentista... Licenciado... Ingeniero... —dijo de repente—. ¿Te das cuenta de que en ninguna lápida se menciona la profesión del que murió? —alumbró la cruz de la tumba de la niña y añadió—: Visto así, da lo mismo que seas pintor o asesino.

Si la hubieran visto, queridos amigos, de seguro también habrían sentido el mismo golpe de adrenalina en el torrente sanguíneo que yo sentí. Palabra. Estaba hablando como si estuviera en una sesión espiritista y fuese otro el que ocupara su cuerpo.

—Ya, Sánchez...

—¿No quieres seguir con la investigación? —preguntó ella. Muy abogada del Diablo y todo lo que quieran, pero me dio gusto oír que ya estaba de vuelta.

—Aquí no.

—¿Por?

—Porque no va a pasar nada, para qué nos hacemos.

Se acercó nuevamente a la zona donde habíamos instalado el equipo y arrastró el estuche de la cámara hacia donde estaba el tripié.

—¿Entonces qué? ¿Admites que es probable que no existan los fantasmas? —recorrió el cierre del estuche y detuvo el video.

—Pues sí —admití decepcionado—. Es probable. Pero todavía nos falta visitar un último lugar. Si ahí no encontramos ninguna prueba, entonces me doy.

Desmontó la cámara y comenzó a replegar el tripié. Parecía muy serena. A lo mejor ya se veía a sí misma en la playa, chapoteando en el mar con todo y brisa.

—¿Y dónde piensas estudiar tercero? —me cuestionó como si de veras le importara.

No sé por qué, pero me sentía optimista. Ya fuera gracias a la tortura de mi abuelo o con la ayuda del McCormick (referirse al amenazante inciso A), estaba seguro de que lo resolvería, así que respondí con entusiasmo:

—En el glorioso Instituto Académico Súper Superación, Sánchez. ¿En dónde más?

Sonrió. Creo que sonrió. O a lo mejor estaba muy oscuro. No sé.

Sobre la existencia de los fantasmas

**Reporte Número 12**

12 de diciembre

Prof. Sergio Martorena R.
P R E S E N T E

Incluyo en este informe los resultados de las mediciones que realizamos en el cementerio y que no fueron, en absoluto, concluyentes en lo referente a la hipótesis que procuramos demostrar. Podríamos haber permanecido más tiempo en el sitio, pero el líder del proyecto decidió que no tenía caso continuar. Presumo que él mismo está percatándose de la inutilidad de la investigación que promovió originalmente. Es probable que este trabajo se acerque a su fin.

Acordamos que continuaremos con la investigación el próximo lunes, puesto que no contamos con un sitio de experimentación en el que realmente valga la pena trabajar. El propio líder se comprometió a conseguir el domicilio de un lugar en el que, según sus propias palabras, sí hay "verdadera y documentada actividad paranormal". Hasta ese momento, por razones evidentes, no presentaré más informes.

Atentamente,
Cordelia Sánchez Sanabria
Grupo 202

## Sábado 13 de diciembre

Queridos amigos:

Escribo este informe en la computadora del Cuarenta debido a que recientes acontecimientos me han obligado a abandonar mi casa para siempre. Probablemente ésta sea la última entrega de este informe preliminar y jamás lleguen a conocer el definitivo, pero así es la vida.

En este momento, mi gran amigo el Cuarenta se encuentra dormido, seguramente soñando con su amorcito platónico, Patricia Asunción. Y aunque estoy tratando de no hacer mucho ruido al teclear, de repente medio abre un ojo y dice algo tierno y comprensivo, como "¿A qué hora piensas terminar, #$%&$ Gugu? ¡Son las dos de la mañana!", y vuelve a los brazos de Piquitos.

Todo pintaba para que fuera un sábado como cualquier otro. Me levanté a las nueve y cacho. Mi papá y el

Memo ya se habían ido y mi mamá estaba lavando la ropa. El plan era ir a comer y después ir al cine como familia de anuncio comercial. Por eso me propuse aprovechar la mañana para ir a casa del temible doctor Gutiérrez, averiguar el misterio de los panquecitos remojados y volver a ser feliz en esta vida.

Antes de continuar, déjenme contarles un par de cosas sobre el doctor Gutiérrez, queridos amigos. Al igual que el Avilita, también es viudo y vive solo. Pero no tiene nada que ver con el viejito tipo Geppetto que es mi abuelo materno. El doctor Gutiérrez vive en un departamento bastante amplio en la colonia del Valle, donde la luz entra por todas las ventanas. Además, está más fuerte que el guapo Ben de los Cuatro Fantásticos, come puras cosas sanas y hace ejercicio todos los días. Se jubiló hace tiempo y se dedica a publicar artículos en revistas científicas y a administrar un par de propiedades que le dan para vivir. Al igual que el Avilita, tiene más años que el planeta Tierra, pero, a diferencia de él, siempre está enojado. A veces me pregunto por qué será así, si está más sano que el Memo y yo juntos...

Comprenderán que la idea de ir a visitar al famoso doctor no me volvía loco, pero qué le vamos a hacer. Era eso o filmar a alguno de mis cuates con una sábana encima y presentar el video como evidencia el próximo viernes. No tenía alternativa.

Cuando mi mamá estaba separando la ropa blanca de la de color, yo ya estaba vestido y a medio peinar. Eran casi las 10.

—Mamá... ¿te sabes el teléfono de mi abuelo?

Sabía perfectamente de quién hablaba. Al otro, si no le decimos Avilita, le decimos abuelito.

—¿Piensas hablar con él de lo que platicamos el otro día? —me cuestionó.

Asentí como si me hubiera preguntado si pensaba aventarme de un rascacielos usando una envoltura de Gansito como paracaídas. Me dictó el teléfono y marqué, esperando que no estuviera y que a mí no me quedara más remedio que empezar a buscar escuelas en Internet. Para mi mala suerte, contestó al tercer timbrazo.

—¿Bueno? —hasta su voz da miedo. Yo creo que practica todos los días para impresionar a la gente.

—Hola, abuelo. Habla Gumaro. ¿Cómo estás?

—Bien.

Esperé a que me preguntara "¿Y tú?" como un abuelo cualquiera. Pero como a las dos horas de horrible silencio, decidí que no me iba a preguntar nada y continué:

—Oye, abuelo, ¿puedo ir a verte?

—¿Para qué?

—Es que... —titubeé— ... quería preguntarte un par de cosas sobre un maestro de mi escuela, que dice mi mamá que conoces.

—¿Sergio Martorena? —preguntó.

—Sí.

Y de pronto pensé que me iba a decir que le preguntara de una vez y dejara de darle lata porque tenía unos niños encerrados en el horno que quería acabar de cocinar cuanto antes. O de plano que me fuera al cuerno. Pero, increíblemente, se le suavizó la voz y dijo:

—Está bien. Te espero aquí en dos horas.

—Gracias, abuelo.

Colgó y yo volví a respirar. En una de ésas, salía bien librado de la bronca y averiguaba lo de los panquecitos remojados antes de la comida.

Mi mamá me observaba mientras arrojaba unas camisetas a una montaña de ropa sucia como de tres metros de alto. Me sonrió.

—Es un buen hombre. No le tengas miedo.

—Sí, claro. Para ti es muy fáci decirlo porque nunca te ha enseñado los colmillos como al Memo y a mí. Yo creo que no se refleja en los espejos y le tiene miedo al ajo, mamá.

—No seas tonto, Gumaro. Acaba de peinarte y desayuna algo, ándale.

Pensé en pedirle que me acompañara, que no me mandara solo a la casa del terror, pero sabía que no lo conseguiría. Y al final tuve razón. Ni siquiera me dio para el taxi. Me mandó directo al matadero con $50 pesos y una tarjeta de Metrobús.

—¿Y si me secuestran? —arriesgué al extender la mano para tomar el billete.

—Si te secuestran, prometo no rentar tu cuarto en lo que te liberan.

Ésa es mi madre, la comediante. En cierto modo, me pareció buena idea. Entre más tiempo hiciera a casa de mi abuelo, mejor. Creo que igual me hubiera ido de rodillas.

Un último dato respecto al satánico doctor Gutiérrez: yo me llamo Gumaro en su honor. Pero les juro que es lo único que tenemos en común.

Cuando daban las 12 en mi reloj de Bob Esponja, llamé al timbre del edificio de mi abuelo. Todavía me sorprende que el dedo no se me hiciera de chicle al presionar el botón. Finalmente, era posible que nunca saliera de ahí, amigos. Mal plan.

—¿Quién?

—Gumaro, abuelo.

—Pásale.

Subí y me abrió la puerta casi al instante. Estaba bañado, afeitado y perfumado. Llevaba puesto un atuendo digno de un hombre 100 años más joven, pero no le iba mal.

—Hola.

—Pásale.

Entré en su departamento, que les digo que tiene ventanas hasta en las ventanas; parece una casa de cristal. Hay tanta luz que se te mete hasta en el cerebro. Y el estilo de los muebles es como muy minimalista, si me entienden. Todos son de un solo color y de una sola pieza y de un solo material.

Sobre la mesa del comedor estaba el periódico abierto y, sobre éste, había una taza de té.

—Siéntate.

—Gracias.

Ocupamos sendas sillas del comedor. Pensé que en cualquier momento iba a empezar con el típico examen que siempre nos hace al Memo y a mí para hacernos sentir que somos unos tarados. ¿En qué año Colón descubrió América? ¿Cuál es el teorema de Pitágoras?

—¿Cómo has estado?

—Bien, abuelo.

Se había tardado como dos horas en hacer la pregunta, pero al final, increíblemente, la había hecho. Sonaba en el radio una estación de música clásica. Yo paseé la vista por las paredes y por los premios y diplomas del famoso doctor Gutiérrez.

—¿Qué quieres saber del profesor Martorena?

Me hubiera podido esperar, pero la neta había quedado en regresar a mi casa temprano para ir a comer con el resto de mi familia.

—Abuelo, ¿tienes idea de por qué nos dice "panquecitos remojados"?

—¿Cómo dices?

—Panquecitos remojados.

Se rio. Juro que se rio. Y no fue una risa macabra ni nada. Fue una risa de a de veras.

—¡Vaya con el buen Sergio! —exclamó cuando dejó de reírse.

Se me hizo bien raro que se refiriera al profe por su nombre de pila, pero igual mi abuelo y él se conocieron cuando iban juntos en el jardín de niños. Quién sabe.

—No. No tengo la menor idea —respondió. La severidad desapareció de su rostro.

—¿De dónde se conocen ustedes, abuelo?

—¿No te lo ha contado tu papá? —me preguntó con extrañeza.

—No —admití.

Se quedó pensativo un buen rato. Miró su reloj de pulsera y se terminó su té.

—Para que te lo diga, vas a tener que acompañarme a cierto sitio.

Ahí está, pensé. Me va a llevar a un aburridísimo club de abuelos amantes de la astrofísica nuclear. Pero ya estaba yo tan adentro, que ni modo de negarme. Tomó sus llaves y un suéter. Yo lo seguí a la calle a que detuviera un taxi. Una vez en el coche, retomó la conversación.

—¿Por qué el interés en el profesor Martorena?

—Me lo dejaron de tarea en la escuela —mentí—. Si descubro por qué nos dice así, me ponen 10 en Formación Cívica y Ética.

—¿En serio no sabes nada del profesor Martorena?

Supuse que decir que era un viejito de anteojos y bastón muy buena onda que también daba clases en la Universidad Nacional era admitir que, en efecto, no sabía nada de nada.

—No, abuelo. ¿Por?

—Por nada. Me parece peculiar que tu padre no te lo haya contado.

El taxi siguió avanzando por la ciudad hasta llegar a una zona cerca del Centro que yo no conocía. Ahí fue donde nos bajamos del coche. Se alcanzaba a ver una especie de zona arqueológica, una iglesia colonial y un edificio muy alto. Todo en la misma cuadra.

—¿Sabes cómo se llama este lugar?

Me encogí de hombros.

—Es la Plaza de las Tres Culturas. Supongo que podrás decirme por qué le dicen así.

Ahí estaba, con sus clásicos exámenes que evidencian tu estupidez. Contesté lo primero que se me ocurrió:

—¿Por el edificio, la iglesia y las ruinas?

—Exacto —respondió sonriente.

¿Quién lo iba a decir, amigos? Le atiné de churro.

Caminamos por la banqueta y luego doblamos en un pasaje que nos condujo a lo largo de los jardines de las ruinas prehispánicas hacia otra zona a espaldas de la iglesia, donde se distinguía un amplio conjunto habitacional. Hizo que me detuviera en la entrada.

—¿Sabes lo que pasó aquí en 1968, Gumaro?

Por el tono en su voz, supe que no se trataba de una pregunta de examen. Supe que, si admitía no saber nada, no me iba a regañar ni a obsequiar su famosa mirada de "miren cuán tarado puede ser un escuincle de 14 años". Había oído algo en la tele y en otros lados. Nos habían pasado una película en la escuela.

—Creo que mataron a muchos estudiantes, ¿no?

—El 2 de octubre de 1968 —asintió.

Miraba con atención la plaza y los edificios. A más de 40 años de lo ocurrido, cualquiera habría dicho que se trataba de una mentira. Era un espacio tan soleado, tan espacioso y, a simple vista, tan tranquilo, que hubiera podido jurar que era un invento.

Pero no, había sucedido. Habían matado a no sé cuántos estudiantes ahí mismo. Y fue entonces que hice la relación mental. Mi papá había vivido en Tlatelolco hasta los años 80 con mis abuelos. Nunca le había dado importancia, pero ahora, mi abuelo, 40 años después...

Dejó de abarcar el espacio con sus ojos. Posó una de sus fuertes, pecosas y arrugadas manos sobre mi hombro.

—Tu abuela, que en paz descanse, tu papá y yo vivíamos en el edificio Nuevo León —dijo, señalando el sitio donde supuse que habría estado dicho edificio—.

Se cayó en el temblor del 85, pero nosotros hacía años que ya no vivíamos allí. Todo esto sucedió mucho antes. Tu papá tenía siete años. Yo acababa de titularme y daba clases en la Facultad de Ciencias. Habíamos oído en el radio que los estudiantes se congregarían en la plaza ese día y decidimos no salir a la calle. Tu padre jugaba con un Meccano y tu abuela estaba horneando un pastel. Yo leía un libro de Spota. Recuerdo perfectamente que le dije a tu abuela que olía muy rico cuando empezó el tiroteo. Nada te prepara para algo así, Gumaro. Nada. Los gritos, las luces en el cielo, el escándalo... Y los gritos...

Se detuvo y bajó la mirada. A lo mejor ni 40 años logran borrar ciertas imágenes.

—¿Conociste al profe Martorena esa noche, abuelo? —me atreví a preguntar, porque intuía para dónde iba.

Levantó la vista nuevamente.

—Creo que podría decirse que sí. Creía conocerlo, pues le daba clases de Cálculo en la Universidad, pero nada de lo que sabía acerca de él me hubiera ayudado a suponer de qué estaba hecho ese muchacho. Había ido a mi casa un par de veces con otros alumnos para que les ayudara con sus tareas. Me tenían mucha confianza, quizá porque yo era un profesor joven. No lo sé. Pero esa noche, a los pocos minutos de que empezó la balacera, llamaron a nuestra puerta.

Me imaginé la escena antes de que él la relatara.

—Sergio Martorena había recibido un tiro en una pierna. Dios, cómo sangraba. Tuve que salir a limpiar el camino rojo que delataba su presencia en nuestra casa, pues no sabía qué había pasado. Creo que incluso después de tantos años, nadie sabe con exactitud lo que ocurrió. Lo que sí es un hecho es que esa noche cambiaron muchas cosas. Tu padre, por ejemplo, se asustó tanto que no durmió hasta el día siguiente.

Caminamos en torno a la plaza hasta llegar al lugar donde se encontraba la placa conmemorativa del suceso. No pude evitar imaginarme a los chavos cuyos nombres estaban grabados en el monumento, corriendo, gritando, cayendo al pavimento. Sentí mucha tristeza. En la piedra estaban plasmados sus nombres y edades como única prueba de que habían existido. "Al día siguiente, nadie. La plaza amaneció barrida. Los periódicos dieron como noticia principal el estado del tiempo."

—Sergio Martorena no era un revolucionario. Era un muchacho como cualquier otro. Con ideales de justicia, sí, pero que lo mismo iba a los cafés cantantes a escuchar música que a los mítines convocados por el Consejo de huelga. Como bien dices, esa noche lo conocí, pues me hizo ver que, aunque sólo le llevaba 10 años, nos separaba un enorme abismo. Él había estado ahí, tratando de cambiar el país… y yo estaba en mi casa leyendo, aguardando la hora de la cena. Jamás terminé de leer ese libro de Spota.

En ese momento sonó mi celular. Era mi mamá. Quería saber cómo iba y cuánto tiempo más me iba a tardar para ver si pasaban por mí o qué onda. Le pedí que me aguantara tantito.

—Abuelo, sólo traigo $50 pesos, pero, si quieres, te invito a comer. Aunque sea una torta.

Negó sonriente y dijo que él invitaba. La verdad, queridos amigos, es lo que yo estaba esperando, pero uno nunca puede invitarse a comer ni con el propio abuelo, por mucho que sea tu tocayo y de repente descubras que no es tan demoníaco como creías.

—No fue la última vez que vi a Sergio Martorena llorar —continuó el doctor cuando colgué—. El hecho de que él se había salvado y muchos de sus conocidos no, lo hacía quebrarse muy a menudo. Pero igual sobrevivió. Y se volvió fuerte. Se volvió duro. Terminó la carrera porque era lo que tocaba. Estudió dos maestrías y un doctorado. Se casó. Siempre fuimos buenos amigos. Y tu padre nunca ha dejado de admirarlo. A la fecha, sigo sintiendo que la brecha que nos separa es inmensa.

Volvimos a la calle en la que nos dejó el taxi y detuvimos a otro. Mi abuelo le pidió que nos llevara a un restaurante cercano a mi casa y comenzamos a hablar de otras cosas, como de computadoras, películas y deportes. Hasta mencioné un par de veces a Marissa.

Cuando tuve una enorme hamburguesa con papas frente a mí y mi abuelo tenía una enorme ensalada frente a él, se me ocurrió que, si la brecha que me separa del doctor Gutiérrez es del tamaño del la Barranca del Cobre, entonces la que me separa del doctor Martorena es del tamaño de la Vía Láctea. De ida y vuelta.

—Hace poco, un cuate me contó que su papá lo regañó por una tontería. El caso es que, con ese pretexto, su abuelo le dijo que a nosotros los chavos ya no nos interesa salvar al mundo —dije entre dos bocados—. A lo mejor es cierto, ¿no? A lo mejor todos ustedes, cuando eran chavos, quisieron salvar al mundo y por eso les parece que nosotros somos unos inútiles sin remedio.

Mi abuelo tardó un poco en responder. Apuró su vaso de agua y cruzó la pierna, muy elegante.

—Lo único cierto, Gumaro, es que nuestros abuelos pensaban exactamente lo mismo de nosotros cuando éramos jóvenes. Así que dile a tu cuate que nunca haga mucho caso de lo que diga un viejo como yo.

Y yo que creía que desayunaba, comía y cenaba niños en pipián...

La neta, comimos bien a gusto. Y de repente advertí que, así como él había conocido "realmente" a mi profe de Física una noche nefasta hace más de 40 años, yo conocí "realmente" a mi abuelo paterno una tarde tranquila a mediados de diciembre. Y que las cosas no siempre son como uno las imagina.

Cuando dieron las cinco, el doctor Gutiérrez me dejó frente a la puerta de mi edificio. Seguía sin tener una maldita idea del por qué de los panquecitos remojados, pero en menos de 12 horas me había hecho de un abuelo y de un profesor que era casi, casi un héroe de película. Y cuando entré en mi casa, la verdad me sentía muy bien. No tenía idea de que en muy poco tiempo mi ánimo se iba a desplomar hasta el subsuelo, amigos.

No se escuchaba ni un ruidito, así que pensé que todos estaban en el cine. Sin embargo, al aproximarme a mi habitación, noté que mi papá estaba acostado en su cama, viendo televisión. No sé si fue por todo lo que había ocurrido en el día o porque a veces puedo ser un tarado de lo más entusiasta; el punto es que decidí entrar en el cuarto de mis papás, saludar cordialmente a mi viejo y sentarme a su lado.

No sé si fue porque me lo imaginé de siete años, sentado a la mesa de un departamento que hace mucho dejó de existir, escuchando el relato terrible de una noche oscurísima en boca de un estudiante que había logrado escapar de la muerte, o porque suelo ser un tarado de lo más impertinente. El caso es que metí la patota.

—Hola.

—Hola.

—¿Qué ves?

—Una película de Woody Allen —respondió.

Y mientras veíamos al tipo ése de lentes que no me parece tan gracioso como a mi papá, se me ocurrió romper el pacto. Se me ocurrió que era un trato ridículo y que ése era el momento de anularlo para siempre. Vaya idiota. Y no pierdan detalle, porque es probable que ahora comprendan muchas cosas.

—Estuve con mi abuelo.

—Qué bien.

—Fui por lo de los panquecitos remojados.

Así, con dos palabritas, rompí el cerco. Noté que se ponía un poco tenso, pero no quise hacer caso. Ya iba súper encarrerado.

—Me contó lo que pasó cuando vivían en Tlatelolco. Qué feo —como no hizo ningún comentario, seguí—: Y me puse a pensar que, a lo mejor, lo de los panquecitos remojados ha de ser un chiste. Una manera de referirse a nosotros por ser parte de una generación de inútiles. Digo, como que se lo merece, ¿no? El profe Martorena puede decirnos como quiera después de lo que le pasó. Si nos dice "tamales ensopados" o "pantuflas del seis", se lo ganó, ¿no crees?

Mutismo absoluto. No sé por qué no me di cuenta de que la estaba regando todita.

—Así que... supongo que ése es el gran misterio, ¿no?

Silencio.

—¿Voy bien?

Nada. Woody Allen seguía haciendo el ridículo en la pantalla. Y yo, fuera de ella.

—¿Eso fue lo que me encargaste, no? —intenté una vez más—. Creo que lo resolví.

Vaya idiota. No sólo había roto el pacto que teníamos de nunca ser alumno y director cuando estuviéramos en casa, sino que, además, inventé una estúpida teoría sobre los panquecitos remojados que no se hubiera sostenido por sí sola ni aunque la clavara a la pared con una estaca. Pero el daño ya estaba hecho.

Apagó la tele súbitamente. Y aunque no estaba enojado, sí se puso serio.

—¿En qué habíamos quedado, Gumaro?

Había sido una de las condiciones originales para que yo estudiara en la misma escuela que él dirigía. Habíamos jurado que jamás romperíamos esa regla. Y ahora yo, una tarde cualquiera de un sábado cualquiera, salí con mi babosada nada más porque estaba convencido de que por fin había resuelto el misterio y no podía esperar al lunes para comunicárselo.

—Sí, ya sé, pero... estoy seguro de que el profe Martorena nos dice así porque...

—No tienes ni idea, Gumaro. Ni idea.

Él se entristeció y yo me sentí fatal. Había entrado en su habitación porque me dio emoción conocer la historia entre él y el profe Martorena, porque me sentí orgulloso y hasta un poco maravillado. Y en dos patadas, lo había echado a perder.

—¿No es por eso? —me atreví a preguntar.

—¿Por eso? ¿Por qué, exactamente? —se levantó de la cama.

No entendí un pepino. De repente había comprendido que el profe Martorena daba clases en el Instituto Académico Superación en agradecimiento a mi padre y a mi abuelo por haberlo acogido en su casa aquella noche espeluznante. Había comprendido que el profe era un gran hombre y que todos los inútiles de la escuela apenas merecíamos respirar el mismo aire que él. Entendí que si nos quería decir de mil maneras, era porque se lo había ganado, porque la distancia que hay entre él y nosotros es exactamente la misma que hay entre un héroe y un panquecito remojado.

Y a la vez, supe que estaba equivocado. Que lo había estropeado todo para siempre y que no había vuelta de hoja. Aun si el Dire me devolvía el derecho a reinscripción, las cosas jamás volverían a ser como antes.

Me miró decepcionado y salió del cuarto. Yo lo seguí con la mirada y, luego, simplemente, lo seguí. Lo encontré en el comedor. ¿Qué podía decir que no empeorara la situación? Quise disculparme, pero no me salieron las palabras. Sólo me quedé ahí parado, como el gran idiota que soy.

—El profesor Martorena no está en la escuela por hacerme un favor —dijo, leyéndome la mente—. Está ahí porque quiere. Porque es importante para él.

Para esos momentos, yo ya medía como 10 centímetros. Deseé que me pisara de una vez y siguiera con su vida. Que, cuando mi mamá y Memo volvieran del cine, les dijera que el tarado del Gugu había desaparecido del planeta para siempre. Seguro todos festejarían la noticia.

—Ese mote no es un chiste para él, Gumaro. Es cierto que parece broma porque se oye simpático y se los dice con cariño, pero no es ningún chiste. Te lo aseguro.

Y de nuevo nos tragó el silencio. Sólo una cosa se me ocurrió entonces. A los cinco minutos de soportar la pesada losa que yo solito había construido entre los dos con mis babosadas, dije:

—¿Puedo irme a dormir a casa del Cuarenta?

Asintió con su cara de "alla tú, es tu vida", pero elevada a la décima potencia. Volvió a su cuarto y encendió la tele. Yo agarré una chamarra y huí a casa de mi amigo.

Lo único que me duele es no haberme despedido de mi madre, porque no pienso volver. Si hubieran visto la cara de decepción de mi viejo, aseguro que habrían hecho lo mismo que yo.

Así que aquí termino esta entrega, que tal vez sea la última. Ya sé que ha habido poca ciencia y pocos fantasmas en este informe, y creo que, en general, estarán decepcionados de mi desempeño. Pero ustedes son testigos de que no ha sido por falta de ganas. Probablemente les mande una postal de Singapur o de El Cairo. Todavía no decido a qué lejana ciudad iré a perderme. Quizá me vuelva monje o delincuente. O tal vez busque alguna chica tailandesa que se parezca a Marissa y me case con ella. Ya se enterarán por los periódicos.

Reciban un abrazo de su eterno colega, el Gugu.

## Domingo 14 de diciembre

Queridos amigos científicos del mundo
global globalizado:

Aquí me tienen de nuevo. Espero que no hayan estado esperando que me embarcara en un buque de vapor hacia el Lejano Oriente. ¡Con lo fácil que me mareo!

Continúo mi informe preliminar porque ya estoy de vuelta en casa. Y, sobre todo, porque quiero hacerlo. Ahora más que nunca, quiero terminar este informe aunque me vaya la vida en ello.

A las ocho de la mañana, el Cuarenta me sorprendió jugando *Fable* en su Xbox.

—¿Qué onda, Gugu? ¿No dormiste o qué?

—Sí. Como dos horas.

Era cierto. Las pesadillas no me dejaron pegar el ojo. Por eso, a las seis de la mañana ya estaba despierto.

—¿Juegas? —le propuse a mi buen amigo.

—Bueno.

Se sentó a mi lado y jugamos hasta que se empezó a escuchar ruido del otro lado de la puerta. Seguramente ya habían despertado sus papás y Rebequita.

—¿Y cómo vas con Paty?

—¿Cómo voy de qué?

—¿Ya le dijiste que la amas?

—No molestes, Gugu.

—Pues tienes una semana para decirle o vamos a salir de vacaciones y vas a tener que sufrir su ausencia doooоos laaaaargas semaaaaanaaaas.

Justo en ese momento sonó el teléfono y lo salvó. La mamá del Cuarenta se asomó en seguida por la puerta.

—Gumaro, te habla tu mamá.

—Gracias, señora.

Salí del cuarto del Cuarenta y fui a contestar a la sala, pues está comprobado científicamente que los Estévez son las únicas personas en el mundo que no tienen teléfono inalámbrico.

—Hola.

—Vamos a ir a desayunar a La Marquesa —dijo mi mamá—. ¿Quieres acompañarnos o prefieres quedarte con tu amigo?

La verdad ya se me había pasado la intención de salir huyendo a Veracruz e irme de polizón en el primer barco pirata que encontrara, así que me pareció mejor plan ir a desayunar con ellos.

—Los acompaño.

—Pasamos por ti en media hora.

Todavía me daba un poco de miedo mirar a mi padre a los ojos, pero igual iba a tener que hacerlo algún día. Así que, como dice el Avilita: al mal paso, darle prisa.

A la media hora ya estaba vestido y perfumado afuera del edificio del Cuarenta.

Cuando se acercaron en el coche, vi que venía manejando el Memo; mi papá iba de copiloto. No podía quitarle la vista de encima al viejo, que me sonreía. Me sentí bien. En una de ésas, todo se compone, me dije. Probablemente acabaré boleando zapatos en las cafeterías del Centro, pero siempre con el apoyo de mis padres.

—Buenos días —me saludó mi mamá.

—¿Y ese milagro? ¿No quisieron ir a pedalear a Ciudad Universitaria?

—A tu papá le duele un tobillo —respondió ella.

Miré a mi padre, que asentía.

—Me lo torcí ayer por la noche —confirmó.

—No vayas a chocar, ¿eh torpe? —le dije al buen Memo, dándole un jalón de pelos.

—¡Míralo, mamá! —se quejó.

—Ya, Gumaro. Deja manejar a tu hermano.

Y sin más, nos dirigimos a La Marquesa. Debo decir que nunca me ha chiflado ir para allá. Me da no sé qué cosa que te hagan señalar la trucha cuando todavía está nadando en la fosa. La pobre podría tener nombre, familia y hasta una ocupación. Y ahí va el Gugu a zampársela sin piedad, sin haberla dejado despedirse de sus amigos. Siempre pido pollo.

Truchas aparte, a mí me parecía que había gato encerrado. Y así fue. Cuando terminamos de desayunar y ya estábamos en los bizcochos y el chocolatito, mi papá se levantó de la mesa.

—Voy a caminar un ratito por el bosque. ¿Me acompañas, Gumaro?

El Memo estaba hablando por teléfono con una chava a la que anda pretendiendo y mi mamá estaba sacándole una receta a la señora del restaurante. Ni modo de que dijera que no.

Se puso a hablar de cosas sin importancia hasta que llegamos al bosque. Ahí abordó el tema que verdaderamente quería tratar.

—Quería platicar algo contigo, Gumaro...

—Me lo imaginé. No te duele el tobillo, ¿verdad?

Negó con la cabeza. Seguimos caminando.

—Primero, quiero decirte que lo de ayer no tiene importancia. Podemos continuar con nuestro trato. Soy tu papá en la casa y tu director en la escuela. Quiero que lo hagas por mí, si no te importa. Es más fácil así, ¿lo entiendes?

—Está bien, papá, pero...

—¿Pero qué?

—¿Por qué mi hermano no estudió ahí? Siempre me lo he preguntado. A lo mejor hubiera sido más fácil que me inscribieran en su escuela y feliz Navidad.

—Tu hermano está hecho de otra materia. Memo se ajusta al estándar. Es un buen muchacho y creo que será un buen hombre. Habría sacado los mismos ochos y nueves casi en cualquier escuela. En cambio, tú...

—Sí, ya sé. Yo soy un burro perdido y por eso querías tenerme más vigilado.

—Digamos simplemente que tú... no estás en el estándar. Y sí, quería tenerte más vigilado, pero no por lo que tú crees. Me interesa saber qué es lo que va a ocurrir contigo. Siendo como eres, me intriga mucho saber hacia dónde vas.

—¿Siendo como soy? ¿Y cómo soy?

—No me siento con derecho a describirte. Pero no es del todo malo, no te espantes —hizo una pausa para cambiar el tema y continuó—: Hace dos semanas, cuando te encargué el informe que estás preparando, sentí que debía hacer algo. Los maestros te llevan con demasiada frecuencia a mi despacho y supe que no podía seguir de brazos cruzados, tomando en cuenta nuestra relación y la responsabilidad que tengo para con la escuela.

—Me imagino —me afligí.

—En fin... lo que realmente quería decirte es esto: no tienes que entregar el informe. Tampoco tienes que averiguar nada sobre el profesor Martorena. Te libero de todos los cargos.

—Pero...

—Sí, ya sé. Te preocupa tu reinscripción. No hay problema. El próximo año podrás seguir estudiando en el Instituto Académico Superación. Sólo te pido que pases tus materias, aunque sea como el año pasado. Y, bueno, que procures no pararte a bailar a media clase. Para eso están los recreos.

Se veía abatido. Me sentí mal. Igual de mal que el sábado, aunque sí me daba gusto saber que entre él y yo ya no había ninguna bronca.

—¿Por qué? —pregunté.

—Porque sé que necesitas ayuda, Gumaro, pero quizá yo no sepa dártela. Creí que si te pedía realizar un informe científico sobre un tema que realmente te interesara, podría hacerte reaccionar y lograría que te apasionaras por algo más que los videojuegos. Creí que si averiguabas el por qué del mote con el que Martorena se dirige a ustedes, comprenderías muchas cosas, pero quizá no sea así. Tal vez necesitas otra cosa. Por lo pronto, prefiero liberarte de esas tareas porque no sé si, en vez de ayudarte, te estoy perjudicando.

—Hace algunos días me dijiste que era muy importante para ti... —dije un poco confundido.

—Sí, pero no te fijes. Fue por otra cosa que no tiene que ver contigo.

Hasta ahí llegó la plática. Recuperé mi derecho a reinscripción. Me liberé del informe y de la investigación de los panquecitos remojados. El problema es que sentí como si en vez de ello, me hubiera aventado otras 20 responsabilidades encima. Como el alpinista al que, a media montaña, le dicen que ya no tiene que seguir escalando. Claro, como si regresar estuviera muerto de la risa.

Abandonamos el bosque y yo no pude ni darle las gracias ni reclamarle. Podía volver a ser el Gugu de siempre. Y, no obstante, me sentía todo apachurrado. Mi viejo estaba de lo más normal y, cuando fuimos al cine por la tarde, en verdad parecíamos una familia de anuncio, pero me sentía mal conmigo mismo. Como si hubiera hecho trampa.

A las seis de la tarde, me puse a platicar con el McCormick a través del Xbox. Me dieron ganas de quejarme de todo, como si mi nueva situación fuera realmente horrible y fuera culpa del mundo entero, cuando nada de esto era cierto. Nomás era el mal sabor de boca que traía y que no conseguía espantar con nada: ni con refresco, ni con palomitas, ni con hot-dogs.

Gugu: ¿A veces no sientes que si pidieran voluntarios para ir a vivir en Saturno tú te formarías luego, luego y hasta te pelearías por el primer lugar, Mayonesa? —le pregunté mientras aniquilábamos a un par de desconocidos en el Halo.
McCormick: Un buen de veces.
Gugu: ¿Y a veces no sientes que tus papás son como marcianos que te hablan en un idioma que ni siquiera se ha inventado?
McCormick: Un buen de veces, Gumersindo.
Gugu: ¿Y a veces no sientes que...?
McCormick: ¡Fíjate, menso!

Me acababan de dar *cranck* por andar de distraído. La verdad, queridos amigos, es que nunca en mi larga vida me había sentido así. Pero lo peor aún estaba por venir. Agarré el teléfono y marqué el número de mi queridísima noviecita, pues suponía que para entonces ya le habrían levantado el castigo. Ja, qué iluso.

—Hola —dijo Marissa cuando contestó. Su tono de voz era como el de una persona a quien le acaban de avisar que tiene cinco días de vida.

—¿Cómo estás?

—Mal.

—¿Y eso?

—Es que mi papá andaba de viaje y, cuando llegó, mi mamá le dijo que había reprobado tres materias y que empecé a andar contigo. Me castigó todas las salidas y me prohibió tener novio.

En ese momento pensé, ¿y qué culpa tengo yo? ¿A poco yo contesté mal tus exámenes? Cada quien sus reprobadas y feliz Navidad. Pero ni modo de ponerme loco e insensible.

—¿O sea que ya no andamos?

—Perdóname, Gugu.

Hice la cuenta. Ni una semana. Ése sí que fue todo un récord. A lo mejor de veras muero virgen, queridos colegas científicos.

—No te fijes —me oí decir.

La neta, me sorprendí, pues lo que en realidad quería decir era "¿Y por qué tienes que obedecer a tus papás? ¡Huyamos a la Selva Lacandona y a ver quién nos alcanza!", pero no quise echarle más tierra a nuestra miseria.

—Cuando mejore mis calificaciones, volvemos, ¿sí?

—Bueno.

—De veras me gustas mucho. Y me caes muy bien. Siempre me haces reír.

—Tú también me gustas mucho. No me haces reír tanto, pero no importa.

—Eres un bobo —se rio.

—Tú también —repetí.

Volvió a reírse y se oyó la voz de un señor a la distancia: "Ya cuelga, Marissa". Mi ex noviecita tuvo que colgar y yo tuve que hacerme a la idea de que nunca recorrería las bases con ella, queridos amigos. De cualquier modo, una vez que me quedé en silencio en la oscuridad de mi cuarto, comprendí qué era lo que me estaba haciendo sentir como mojón de perro.

Fui a la cocina y me hice tres sándwiches de mantequilla de cacahuate. Me serví refresco, me encerré en mi cuarto y me senté a redactar este informe.

Al instante mejoró mi humor, queridos colegas. A lo mejor hay carreras que tienes que terminar aunque se haga de noche y todos los demás participantes hayan llegado a sus casas hace horas. A lo mejor hay labores que tienes que terminar sólo porque alguna vez te lo propusiste. Sí, amigos, cuando tecleé, por mis pistolas, "Domingo 14 de diciembre" me sentí bien de inmediato.

No sé por qué pensé en el profe Martorena cuando tecleé las primeras frases. A lo mejor porque, a estas alturas, creo que soy capaz de hacer cualquier cosa con tal de averiguar el secreto de los panquecitos remojados. No porque alguien me lo haya pedido, sino porque de pronto me parece tan importante como la demostración sistematizada, organizada y objetiva de la existencia de los fantasmas. Como seguir en la carrera aunque llegues en último sitio. O como recibir una bala en una pierna por defender aquello en lo que crees.

Palabra de honor.

## Lunes 15 de diciembre

Claro que, de decir a hacer...

En fin, queridos amigos de las ciencias exactas. Quisiera hablar sólo de triunfos y laureles, pero siendo las tres de la mañana del martes 16 y tras haber obtenido tan aplastante resultado, la neta no me sale. ¿Habían oído hablar de "la navaja de Occam"? No, no es el título de una película de asesinos seriales. Es con lo que salió Cordelia (en sentido figurado, amigos, no se crean que de repente extrajo una navaja de su mochila y ¡rájale!) y que echó abajo de una vez y para siempre la "hipótesis primigenia", como ella misma le llama.

En cuanto llegué al salón, me di cuenta de que mi vida había dado un giro de 180°. Marissa apenas me saludó de lejos, como si fuéramos dos completos desconocidos. Y, por otro lado, Cordelia me sonrió. Me imaginé que estaba soñando, que no tardaría en despertar y que todo volvería a la normalidad: Marissa y yo iríamos al Jardín del Pulpo en el primer recreo, Cordelia y yo nos insultaríamos, y mis amigos me invitarían a jugar Números en el segundo recreo. Oh, felices moretones.

La neta es que, en el primer recreo, Marissa ni siquiera me volteó a ver y, antes de que me diera cuenta, Cordelia estaba de pie y sonriendo junto a mi lugar, como si en verdad estuviera acostumbrada a tan extraordinaria hazaña facial.

—Entonces, ¿qué?

—¿Qué de qué?

—El viernes dijiste que nada más nos quedaba ir a otro lugar, Gumaro.

—Ah, sí.

Lo consideré por un segundo; para qué les digo mentiras. ¿Qué necesidad tenía de seguir con esto si ya no era mi obligación? Me pregunté qué tan terrible sería retomar mi vida, volver a ser yo mismo y decirle a Cordelia que esto ya no tenía caso porque el mismísimo Dire me había liberado de la bronca. Pero entonces me asaltó la imagen del profesor Martorena. Horas antes me había propuesto llegar hasta el final, y eso era justo lo que haría. Es precisamente lo que hubiera hecho Sergio Martorena, el estudiante de Ciencias en 1968.

En menos de lo que se los cuento, ya estaba yo en el patio buscándolos con la mirada. No me resultó difícil dar con ellos.

—Hola, Gólem —estreché la mano del enorme individuo. Al Fangoria nada más le hice un ademán.

Era mi última carta. Pero les juro que todo lo que platiqué el sábado con mi abuelo me hacía sentir que iba en la dirección correcta.

—Qué pasa, Gugu... ¿a poco ya te animaste? —sonrió tétricamente el Gólem.

—Pues... —tragué saliva— ... pues sí.

Se miraron y el Gólem dejó de sonreír. Aún así, sus ojos denotaban gran entusiasmo. Si hay alguien en este mundo a quien el asunto de los fantasmas en verdad le hace hervir la sangre, es al famosísimo Gólem.

—¿Cuándo quieres que vayamos?

—Hoy, si se puede.

—Hecho.

Hubiera preferido que lo pensara tantito. O que se mostrara un poco renuente. Pero no, nada de eso.

—¿Adónde y a qué hora quieres que pasemos por ti?

Jamás me imaginé que el *tour* del terror incluyera gastos de transportación. Les di la dirección de Cordelia y quedamos en que pasarían por nosotros a las 10 pm. A mí no me encantaba la idea de acudir de noche a una cabaña terrorífica perdida en medio del bosque con un par de tipos que de seguro le echan murciélagos a su cereal, pero era la única manera de terminar mi informe y recuperar mi derecho a reinscripción por las buenas, sin atajos y sin sentirme el peor perdedor entre los perdedores.

Mi ánimo ya estaba quebrantado por completo cuando busqué a Cordelia en el salón para darle la noticia. Hubiera renunciado en dos patadas si ella no hubiera salido con lo de siempre:

—¿Estás consciente de lo que dijiste el viernes?

—¿Qué fue lo que dije?

—Que estabas dispuesto a renunciar a la demostración de tu hipótesis si fracasabas de nuevo.

—Cordelia —musité—, no es por llevarte la contraria, pero creo que hoy sí nos conviene ir preparados.

—¿A qué te refieres? ¿Quieres que llevemos crucifijos y agua bendita?

—Búrlate si quieres, pero yo sí voy a llevar mi medallita de San Antonio.

Sólo volví a sentirme bien cuando comenzó la clase de Física. No contaba con la impresión que me causaría volver a ver al profesor Martorena después de conocer una parte de su historia. Sólo el hecho de estar ahí, en su salón de clases, me alegró el día. Hasta me dieron ganas de pararme a mitad de su explicación de las leyes de la termodinámica, pero no a bailar como *stripper*, sino a contarles a todos lo que sabía de él, y de decirles que eran unos malditos panquecitos remojados que ni siquiera se merecían pisar el mismo suelo que el profe .

Al terminar, cuando Martorena se fue rengueando y apoyándose en su bastón, sentí como si me hubiera inyectado fuerza, vitalidad, orgullo...

Sonó la chicharra del segundo recreo e, increíblemente, me sorprendí a mí mismo organizando un juego de Números. Me llamó la atención que el Cuarenta no quisiera integrarse a la masacre, pero luego lo sorprendí conversando con Paty "Conejito" Asunción en una de las bancas del patio. Así que tuve materia para molestarlo desde que terminó el recreo hasta que sonó la chicharra de la salida.

—Ya, en serio, Cuarenta, ¿qué le ves?

—Qué te importa.

—Dime. Supón que no estás hablando conmigo, sino con alguien a quien estimas y respetas.

Estábamos recargados contra la barda de la escuela, esperando que llegara mi mamá.

—Me gusta desde la fiesta en casa de Maricruz, ¿te acuerdas? —dijo, mirando sus zapatos.

Cómo olvidarla. El Grumo me retó a que me colgara de la lámpara del techo y se me vino abajo con todo y cablerío. Se fue la luz como media hora.

—Algo —contesté—, ¿por?

—¿Te acuerdas de que se fue la luz?

—¿La luz? Ah, sí.

—Pues ella estaba sentada junto a mí cuando pasó. Estuvimos platicando muy padre de un montón de cosas, como de películas y de la escuela...

Chin. El Cuarenta de veras estaba enamorado. Yo creí que nada más era por sacarse de encima a Tania, pero hubieran visto su cara. Era la misma que la de la Princesa Leia en la segunda de *Star Wars* cuando hacen sándwich a Han Solo.

—Y me di cuenta de que, bueno, sí es cierto que está un poquito dientona, pero es bien buena gente. Y yo me sentí muy a gusto con ella. No como con Tania.

—Qué suerte tienes, Cuarenta —dije, como si los dos estuviéramos muriendo de cáncer de riñón y sólo él hubiera conseguido donante.

—Ni tanto. No me atrevo a decirle que me gusta.

—Ya te dije que, si quieres, yo puedo...

—Y yo ya te dije que, si quieres, te puedo sacar los ojos.

En ésas estábamos cuando llegó mi mamá y se terminó el asunto.

—Por si te hace sentir mejor —le dije a mi cuate antes de subirme al coche—, Marissa y yo ya no andamos.

No lo hizo sentir mejor. Ni a mí.

Cuando lo dejamos en su casa, me dio la impresión de que mi cuate ya no era, para nada, el escuincle baboso que no se quitaba la playera con el número 40 de los Cowboys de Dallas.

Después de esto, la tarde se fue rapidísimo. A las ocho de la noche, le avisé a mi mamá cómo estaba el plan.

—Según "el Dire", ya no ibas a seguir con tu informe —comentó, asombrada.

—Sí... me dijo que ya no tenía ninguna obligación de seguir, pero...

—¿Pero?

—Pero yo preferiría acabar.

Mi mamá le dio un trago a su café —a diferencia del Dire, ella es capaz de tomarse 200 tazas al día (nada de sorbitos inofensivos), leer un libro gordo y sostener una conversación telefónica con una de mis tías. Todo al mismo tiempo. Una verdadera multifuncional, mi madre.

Por un segundo, me pareció que dejaba todo a un lado y me dedicaba su completa atención a mí. Pero sólo fue un segundo.

—Procura no hacer ruido cuando llegues.

El timbre de la calle sonó. Era el parlanchín señor Medina. Cuando tomé la manija de la puerta, mi mamá me detuvo con un gesto.

—Gumaro...

—Mande.

—Ojalá... —tapó con una mano la bocina del teléfono— ... ojalá encuentres muchos fantasmas.

Toda una mamá de película, ella. Le agradecí con una sonrisa forzada y abandoné el departamento. Si realmente era afortunado, el horripilante espectro del video del Gólem estaría de vacaciones en Transilvania.

Y, no obstante, a las 9:20 p.m., mientras llamaba a la puerta de Cordelia, me invadió un sentimiento anticipado de derrota.

Para variar, no se encontraba la madre de mi némesis. Ella tenía todo el equipo amontonado a un lado de la puerta. Y a mí se me vino la idea de que otra vez iríamos a perder el tiempo. Por un micro segundo, deseé que el horripilante espectro sí mostrara la cara.

—Hola.

—Hola.

Nos envolvió un súbito silencio, apenas perturbado por el tic-tac de su reloj de pared.

—Pues... —dije, para no seguir alimentando tan incómodo momento— ... habrá que esperar a ese par de orates, ¿no?

Ella sólo se alzó de hombros.

Nos sentamos en la sala y el silencio nos siguió. Mi némesis estaba vestida como siempre, con su chamarrota y sus pantalones holgados. Entretuve la mirada entre las placas teatrales de su padre. No quería decir nada probablemente por la misma razón que ella: porque adivinábamos que todo este estúpido asunto llegaba a su fin. Que todo había sido un gran chasco, un maldito fracaso, un desastre total.

Se puso de pie y fue a la cocina. Regresó con un plato con galletas y dos vasos de leche, y los puso en la mesita de la sala. Ambos comimos en silencio.

No me pregunten por qué o cómo le hice, pero así, de la nada, se me ocurrió:

—Te lo puso tu papá, ¿verdad?

—¿Qué?

—Tu nombre. Te lo puso tu papá, ¿no?

—¿Cómo supiste?

—No sé. Como que se me hizo teatral.

Levantó la vista y miró a las plaquitas. Siguió comiendo galletas en pedacitos pequeños. Me puse a pensar que nunca la había visto comer lo que se dice en serio. Tres hamburguesas o 20 tacos o cinco cubetas de palomitas, que es lo mínimo que yo necesito para no sentirme estafado. Ni idea de por qué está tan gorda si parece que no come mucho. Y luego me puse a pensar que desde el viernes ya no se veía tan enojada, tan dispuesta a estrangular al primero que la contrariara.

—¿Te digo algo y no te enojas?

—Depende —respondió.

—¿Cómo que depende?

—Es una pregunta tramposa, Gumaro —dijo frunciendo el ceño—. Lo que quieres decir es que me vas a hacer enojar y que, si me enojo, será mi culpa porque tú me lo advertiste.

Preferí quedarme callado. Dieron las 10 y el reloj siguió martillándonos la cabeza.

—Es tu viaje, ¿verdad?

—¿Qué?

—Lo que te tiene tan tranquila.

—¿"Tan tranquila"? No empieces a fregar...

—Sí. Desde el viernes estás en otra onda. Como que todo te vale. Como que todo te da lo mismo.

—Ya te dije que no empieces a fregar —respondió molesta. Volvía a ser la Cordelia que yo conocía.

—Ojalá yo tuviera un viaje en mi horizonte —gruñí—. En cambio, lo único que tengo es una cochina conferencia frente a toda la escuela sobre una estúpida idea que se me ocurrió en un maldito momento de %&$/@% debilidad.

—Te lo dije el otro día. Causa y efecto. Todos somos responsables de nuestros actos. No pretendas culpar a nadie de lo que te pasa.

—No estoy culpando a nadie. Me queda clarísimo que soy un tarado de medalla de oro.

Dieron las 10:05 p.m. Malditos impuntuales.

—¿Y tú por qué estás tan enojado?

—No estoy enojado.

—Si tú lo dices...

—Claro que lo digo.

—Bueno.

—Bueno.

10:10 p.m.

10:11 p.m.

10:12 p.m.

—Pues yo tampoco estoy "tan tranquila" como tú crees, así que mejor cállate la boca.

—Tú también cállate la boca.

10:13 p.m.

—Castrosa.

—Cabeza hueca.

—Ñoña.

—Inútil.

A las 10:15 p.m. por fin tocaron el timbre. Bajamos con carotas de estar en la peor monserga de nuestras vidas. Probablemente así era. Un simpático contraste con la cara de los otros dos, que parecía que iban a una fiesta súper reventada. Hasta el Fangoria medio sonreía, si es que a eso que se esforzaba por mantener en el rostro se le puede llamar sonrisa.

Afortunadamente, el auto del Gólem no era ninguna carroza fúnebre. Era un Ford Fiesta azul. Subimos el equipo a la cajuela y él arrancó a toda velocidad. A medio camino de estar escuchando puro *Dark* en el estéreo del coche, Cordelia se animó a hablar:

—¿Se puede saber por qué están tan seguros de que ahí se aparece un fantasma?

Ambos engendros se miraron.

—Este video lo grabamos en la casa a la que vamos ahora —dijo el Gólem sacando su celular.

Se veía que ya tenía la acción súper estudiada porque, sin ver los menús, dio con el video, presionó *play* y le pasó el teléfono a Cordelia. Yo preferí no mirar. Apenas escuché el grito, volví a sentir unas ganas enormes de que me bajaran en la próxima estación del metro. Pero Cordelia, lejos de sentirse afectada, repitió el video una y otra vez. Sentí un escalofrío. Me daba más temor que estuviera tan entera. Su actitud era la típica del primero que se muere en las películas de miedo. Terminó por regresarles el teléfono sin hacer comentarios. El par de entes se miraron y esbozaron una risita.

La noche nos engulló. Entre más nos aproximábamos a la supuesta cabaña del terror, menos luz había y más me retumbaba el corazón. Me sorprendió darme cuenta de lo mucho que creía en los fantasmas en esos momentos. Tal vez no hubiera estado tan equivocado al decirle al Dire que me hacían hervir la sangre. Aunque lo honesto hubiera sido admitir que, de momento, me la estaban congelando.

Pocos minutos antes de la medianoche, abandonamos la carretera. El clima tan frío, la noche sin luna y el viento entre los árboles me parecían coincidencias súper desafortunadas.

A las 12 en punto, el auto se detuvo frente a una cabaña evidentemente abandonada. Apenas había algunos árboles desnudos a un costado de la casa.

El Gólem dejó las luces del auto encendidas, las cuales se proyectaban sobre los muros de madera, haciendo más tenebroso el hueco de la puerta.

—Cuando quieran —dijo, impostando la voz. Un verdadero maestro del efecto. Debería de patentar el *tour* y hacerse millonario. Yo, por mi parte, ya estaba a punto de perder la compostura y el control de mis esfínteres.

—Saquemos el equipo, Cordelia —dije, sin quitarle la vista a la casa. Lamenté el día en que vi *El Proyecto de la Bruja de Blair* a solas en mi cuarto. Maldije al Grumo por prestarme el DVD.

Bajamos del auto y sacamos la cámara de la cajuela. Ella me extendió la lámpara y yo la encendí varias veces, probando las pilas. Estábamos a punto de entrar en la casa cuando el Gólem me detuvo.

—Antes, una cosa, Gugu.

—¿Qué?

—Queremos la mitad del crédito —miró a su secuaz y éste asintió—. Queremos que el día de tu presentación admitas que nosotros fuimos los que te condujimos a tu descubrimiento.

No me salieron las palabras. Tanta certeza y seguridad en lo que decía el Gólem sólo podía significar una cosa: que estaba a punto de ver el terror a los ojos y que era muy probable que me diera un infarto. Fue Cordelia la que contestó en mi lugar.

—Sí, sí, lo que quieran. Vamos, Gutiérrez.

Caminamos hacia la cabaña, haciendo crujir las hojas bajo nuestros pies.

—Los idiotas de la sociedad parapsicológica se van a morir de envidia —dijo el Gólem.

—Se van a arrepentir de habernos expulsado —asintió el Fangoria.

Tal vez no sea el mejor momento para mencionar que la voz del Fangoria es tan afeminada que tal vez por eso siempre está callado. No es un dato muy científico, pero es absolutamente cierto.

Cordelia, sin temor alguno, avanzaba con la cámara sobre el hombro. Y yo, tras ella, alumbraba el camino lo mejor que podía con la linterna. Recuerdo que fue justo en ese momento cuando dijo:

—Esto va a ser una navaja de Occam... estoy segura.

Yo no tenía ganas de preguntarle qué había querido decir. No me había gustado nada el tono de su voz ni la alusión a la navaja del tal Occam, así que preferí quedarme con la duda.

Entramos en la cabaña y creí que me moría. No había una multitud de huellas de manos pequeñas sobre la pared, como en *El proyecto de la Bruja de Blair*, pero sí un cráneo diminuto y colmilludo en el centro de la habitación desnuda de muebles y fría como un maldito refrigerador. No pude evitar que se me saliera un gemido.

—Shh... —me calló Cordelia.

—Mejor ya vámonos...

—Cálmate, Gutiérrez —dijo, aproximándose al cráneo—. Sólo es un gato muerto.

Sí, claro. A mí me gustaría conocer al guapo que se adentre en una cabaña abandonada después de la media noche y no brinque al ver un cráneo, así sea de gato, de perro o de ratón.

Se trataba de una cabaña pequeña, con dos cuartos anexos a la estancia principal. La ausencia de vidrio en las ventanas hacía que el viento soplara de un lado a otro. Las puertas de las habitaciones estaban vencidas sobre sus bisagras. Sólo había madera, hierbajos y hojas secas en el interior. Y un pequeño cráneo colmilludo, claro.

Cuando nos adentramos en la habitación principal, reconocí el sitio exacto donde se había aparecido la niña fantasmagórica del video: justo detrás de uno de los pilares de madera, a un lado de una chimenea. La única variante era que nosotros llevábamos una linterna bastante potente. Me pareció imposible que el espectro se apareciera con tanta luz.

—Apaga la linterna, Gugu —me ordenó el grandote, adivinando mis pensamientos—. ¿Cómo quieres que se aparezca la niña si...?

—¡Shh! —ordenó Cordelia.

En cuanto guardamos silencio, lo escuchamos. Les juro que estuve a punto de salir corriendo y no detenerme hasta dar con el océano. Eran pasos. Y se dirigían a la cabaña. Tengo que decir con toda honestidad que la única que se mostraba ecuánime era Cordelia; los tres hombres de la expedición teníamos la misma cara de espanto. Incluso el Fangoria parecía un poco arrepentido.

—Apaga la luz, Gutiérrez.

—Pe... pe... pero...

—¡Apaga la luz!

Apagué la linterna y como a los tres micro segundos me arrepentí, convencido de que un hombre lobo nos iba a brincar encima. Quise encenderla de nuevo, pero no lo logré. Queridos amigos, está comprobado científicamente: no importa cuántas veces pruebes las pilas y el interruptor de tu lámpara; a la hora de la verdad, siempre falla algo. Como en las películas.

—Shh... —me volvió a callar Cordelia, pues yo no dejaba de tratar de accionar la maldita linterna.

Los pasos continuaron. Y en menos de lo que se los cuento, ya se escuchaban dentro de la cabaña. Era más que obvio que pertenecían a un fantasma que había traspasado la pared.

La madera rechinaba. Cric... cric... cric...

El espectro estaba en el cuarto de la derecha. La luz de los faros del auto no alcanzaba a iluminar esa sección de la casa. Apenas se distinguía un triángulo oscuro hacia el interior.

Cric... cric... cric...

Y justo cuando la puerta se abrió, la lámpara volvió a funcionar, dejando ver el rostro de una niña morena con el cabello tieso y largo como un abrojo.

En ese momento, también me enteré de que el grito que se escucha en el video del Gólem y que parece de mujer es, en realidad, del Fangoria. Lo supe porque gritó de la misma manera y se echó a correr hacia afuera junto con su amigo. Por mi parte, estoy seguro de que en los tres o cuatro segundos que duró la impresión, me dieron unos 15 infartos al miocardio.

A pesar del grito, el espectro no se movió del hueco por donde asomó la cara y ahora, mejor iluminado, no parecía una niña de ultratumba. Parecía, simplemente, una niña morena y greñuda.

—Hola —dijo Cordelia, sin dejar de filmar.

La niña se mordió el dedo índice y sonrió con timidez. Era una niña indígena de rostro sucio, pero simpático. Llevaba un vestido largo que desentonaba con las gruesas botas en sus pies pequeños.

—¿Vives por aquí?

La niña señaló algo a sus espaldas. Cordelia se acercó y se asomó por el hueco de la puerta vencida. Yo, más dueño de mí mismo, también me aproximé. Pude ver que, detrás de la cabaña, había una milpa y una casita con las ventanas iluminadas.

—¿No deberías estar en cama? —dijo Cordelia.

La niña se echó a correr hacia su casa. No hay que ser premio Nobel para deducir que la niña, al ver un auto aproximarse, se acercó a la cabaña abandonada por pura curiosidad. Así ha de haber sido la primera vez que los dos engendros habían acudido solos. Y así había sido en esta ocasión.

Caminábamos de regreso hacia el auto cuando se me ocurrió indagar:

—¿Qué es eso de la navaja de Occam?

—¿Qué dices? —sonreía la muy maldita.

—Hace rato te oí decir que esto iba a ser "una navaja de Occam". ¿A qué te referías?

—Así se dice cuando buscas explicaciones muy complicadas a algo que tiene una explicación muy sencilla. Si en el video se veía una niña, seguramente se trataba de una niña —dijo Cordelia complacida.

Era obvio que hasta ahí llegaba la investigación. Entramos en el auto y el Gólem encendió el motor como si nada más hubiera estado esperándonos.

Cordelia reprodujo en la cámara lo que habíamos grabado y le subió el volumen a todo lo que daba para que nuestros acompañantes supieran de lo que se habían perdido. Me di cuenta de que hasta al Fangoria se sonrojó, queridos amigos, y eso que estaba bien oscuro.

Volvimos a la carretera y, luego, a la ciudad. A petición mía, Radio Universal sustituyó la música darketa y ni siquiera el Gólem se atrevió a cuestionar mi decisión. Tanto él como su cuate enmudecieron durante el resto del viaje.

Me moría de sueño cuando llegamos a casa de Cordelia, pero igual la ayudé a subir el equipo. De todos modos, como todavía tenía pendiente este informe, necesitaba despabilarme. Cuando abrimos la puerta, recuerdo que surgió la voz de su mamá del fondo del departamento preguntando si todo había ido bien. Cordelia respondió que sí, se sentó a la mesa del comedor y se sirvió del termo de café que ni siquiera tocamos. Me invitó una taza con la mirada y yo me negué. Sentí que, pese a todo, estaba en deuda con ella. Es cierto que había echado abajo todos mis anhelos y mi estúpida ilusión de llegar al viernes con un fantasma bien documentado y lucirme frente a toda la secundaria, pero se había esforzado igual o más que yo. Ahí estaba también a la una y cacho de la mañana, exhausta, como yo. Un poco apachurrada, como yo. Y desconcertada. Como yo.

—Gracias de todos modos —me animé a decir.

Medio sonrió. Creo.

Minutos después abandoné su casa. Cuando ya iba por el segundo piso, escuché que volvía a abrir la puerta.

—Oye, Gumaro...

—¿Qué? —contesté desde el segundo piso, sin alcanzar a verla.

Se tardó en volver a hablar, así que insistí:

—¿Qué pasó, Cordelia?

—No, nada. Nos vemos en la escuela.

Salí del edificio con la esperanza de que los dos tarados que habían llevado mi investigación a su última, estrepitosa y fenomenal caída, no me hubieran abandonado a mi suerte en la colonia Doctores.

Por suerte, el Ford Fiesta seguía en la misma esquina donde se había estacionado. Abordé el auto procurando ignorar a sus ocupantes y me arrané en el asiento trasero. Antes de avanzar, el Gólem tuvo la genial ocurrencia de decir:

—Mañana podemos ir a un lote baldío en el que se aparece un cochino sin cabeza, Gugu.

—Cierra la maldita boca, Gólem. Y conduce con cuidado, si no te importa. Hace rato casi chocas.

El auto se perdió por las calles de la ciudad.

Sobre la existencia de los fantasmas

Reporte Número 13

15 de diciembre

Prof. Sergio Martorena R.
P R E S E N T E

Hemos concluido la investigacion, querido profesor. Aunque nunca dejó de ser ilustrativa, creo que los resultados son contundentes y no admiten réplica.

Me he tomado la licencia de dejar para mañana el desarrollo final de las conclusiones, ya que son casi las dos de la mañana y temo que el cansancio no me permitirá elaborar mi reporte con el debido cuidado.

Anticipo a usted que la recabación de información de todos los procesos empíricos de nuestra investigación que pienso hacer el día de mañana me permitirán esbozar un juicio objetivo sobre la hipótesis primigenia. Será, entonces, la última y definitiva entrega de este informe en torno a la supuesta existencia de los fantasmas.

Atentamente,
Cordelia Sánchez Sanabria
Grupo 202

## Martes 16 de diciembre

Amigos míos:

No tenía opción, Ustedes lo saben. Mi proyecto científico había sido todo un fracaso. Tenía que pasar al plan B y no había tiempo que perder.

En cuanto mi mamá nos dejó a mí y al Cuarenta frente a la escuela, fingí que me detenía a amarrarme una agujeta y no volví a ponerme en pie hasta que el auto de mi madre se perdió de vista.

—Cuarenta, distrae tantito al prefecto para que me pueda escapar.

—No friegues, Gugu.

—Es en serio. Tengo que averiguar una cosa, y no puedo hacerlo en la escuela. Ándale. Porfa. Te pago.

Desdeñó el billete de $20 pesos que le ofrecí, mi gran amigo el Cuarenta. Y qué bueno, porque todo mi capital era como de $40 pesos, y si mi misión me obligaba a ir a Toluca o hasta Cuernavaca, necesitaría el dinero.

—Estás loco —negó con la cabeza, pero fue directamente con el prefecto que se encarga de que no se cuelen extraños en la escuela y que nadie se vaya de pinta.

Discutieron como 10 segundos, que a mí me sirvieron para escabullirme. Eché a correr por la calle hasta llegar a Reforma, a la altura del monumento a Colón. Apenas había amanecido, queridos amigos, y a mí me dieron muchas ganas de meterme en un restaurante y pedir un café aunque me acabara todo el dinero, porque, la neta, los tipos como yo no sabemos desperdiciar las oportunidades que da la libertad. Y si no hubiera estado en la bancarrota total, me hubiera ido a jugar maquinitas. Pero primero, lo primero. Me paré en un teléfono de monedas e hice la llamada que había pensado hacer desde el día anterior pero que, por pura decencia, dejé para hoy.

Desafortunadamente, no estaba en casa. Seguramente había salido a correr. Me metí en un restaurancito chiquito y pedí un café bien cargado y un pan con mermelada. La mesera, una señora con cara de no aguantar tonterías de babosos con uniforme de secundaria, me atendió de muy mala gana. Pensé que de seguro era madre de ocho idiotas de mi edad, así que decidí no hacerme el simpático ni hacerle plática ni nada. Lo malo fue que me sirvió un café bastante aguado. Podía ver perfectamente el fondo de la taza.

—Se lo pedí cargado, señorita.

—Estás muy chico para tomar café. Sobre todo cargado —sentenció.

—Es que no he dormido bien últimamente.

—¿No deberías estar en la escuela?

—Hubo junta de maestros.

—Y yo me chupo el dedo.

Se fue al mostrador a recoger mi pan con mermelada sin hacer caso de mis quejas. Cuando volvió, se me ocurrió una idea.

—¿Me prestaría su teléfono?

—¿Para qué?

—Es que ayer estuve en una posada y nos amanecimos. Quiero ver si vienen mis papás a recogerme. Vivo por Mixcoac.

—Y yo me chupo el dedo. Las posadas apenas comienzan hoy.

Se fue a atender a otros clientes y yo me quedé con mi pan y mi café. Cuando terminé, sentí que podía conquistar el mundo. Mi plan tenía que surtir efecto simple y sencillamente porque sentí que la vida me sonreía. Llamé a la mesera con un ademán.

—¿No me regala más café?

—No.

Saqué uno de mis cuadernos de la mochila y me puse a escribir el nombre de Marissa en varias hojas. A lo mejor es el efecto que tiene el café. Yo no lo sabía, queridos amigos, pero te hace sentir enamorado, lleno de energía y feliz. Probablemente fue por eso que, de repente, apareció la madre de ocho con un teléfono inalámbrico en la mano.

—No te tardes.

—Gracias, seño.

Por suerte, me acordé del teléfono sin tener que consultarlo. Me contestó a los dos timbrazos.

—¿Bueno?

—Abuelo, soy yo, Gumaro.

—¿No deberías estar en la escuela?

Supe que lo de la junta de maestros no serviría.

—Sí, abuelo. Me volé las clases.

—¿Por qué?

—Luego te cuento. Ahorita necesito un favorzote. ¿Dónde vive el profesor Martorena?

—¿Qué pretendes?

—No te espantes. No voy a hacer nada malo. Quiero hablar con su esposa.

Se tardó en responder. Era mi última oportunidad. Si no agarraba la onda, mi plan se iría directo al caño.

—¿Es por lo de los panquecitos remojados?

—Sí.

—¿Por qué es tan importante?

¿Por qué era tan importante? ¿Realmente tenía una respuesta? Las palabras vinieron a mi boca como si no fuera yo el tarado que las dijera:

—Porque es importante para el profe. Y tal vez, nada más por eso, debería de ser importante para nosotros.

Cuando dije "nosotros", me refería a todos los panquecitos remojados del mundo, empezando por los del Instituto Académico Superación. No sé si mi abuelo se sintió incluido o qué, el caso es que respondió:

—Está bien... ¿tienes con qué apuntar?

Me dictó la dirección de la casa del profe e incluso me explicó cómo llegar. Un tipazo, el doctor Gutiérrez.

—Cuando sepas de qué se trata, me gustaría que me lo contaras.

—Claro, abuelo.

Colgamos y pedí la cuenta. La señora se acercó y me extendió un papelito.

—¿Estaba bueno el pan?

—Muy bueno, señorita. Muchas gracias. Fue usted muy gentil. Muy gentil.

A veces puedo ser todo un encanto. O a lo mejor fue el café. Pagué y dejé dos pesos de propina en la charolita, que ella me devolvió con otra sonrisa idéntica a las de mi madre y a las de mis tías y seguramente a las de mis abuelas a quienes no tuve el gusto de conocer.

Me fui al metro Juárez y me bajé en la estación Patriotismo, que fue la que me recomendó mi abuelo para acercarme a la casa del profe Martorena sin gastar más de tres pesos. Un tipazo súper ahorrador, mi abuelo.

Caminé hasta la calle Tamaulipas. No me costó nada de trabajo, y no tuve más que dar con el número del edificio para sentir que mi misión estaba a punto de llegar a su fin. Me peiné en el reflejo del cristal de la puerta y toqué el timbre. Después de un rato, se escuchó la voz de una señora:

—¿Quién?

—Disculpe, ¿es la casa del profesor Sergio Martorena?

—Ahorita no se encuentra.

—¿Es usted su esposa?

—Sí, pero ahorita no se encuentra.

—No vengo a buscarlo a él, señora, sino a usted.

—¿De parte de quién? —preguntó un poco recelosa.

Supe que tenía que ser lo más honesto posible. Ahora más que nunca tenía que dejarme de cosas y ser yo mismo. Me refiero al "yo mismo" que casi siempre anda de vacaciones, pero que sabe comportarse cuando la ocasión lo amerita. Si iba a obtener ayuda de la señora, tendría que ser sin argucias ni trampas ni atajos.

—Soy alumno del profesor Martorena, señora. ¿Podría hablar con usted?

—¿Para qué asunto?

—¿Podríamos hablarlo en su departamento? —como no contestaba, eché mano del último recurso que me quedaba—. Soy nieto del doctor Gumaro Gutiérrez.

Por lo visto, ésa era la contraseña correcta. La puerta se abrió al instante.

La señora Martorena, una viejita muy simpática de cabello teñido y grandes anteojos, me esperaba en el descanso del tercer piso. Era muy parecida al profesor Martorena, probablemente por ese aire de buena gente que no pueden ocultar ni con un disfraz de Dart Vader.

—Buenos días, señora. De veras perdone —le extendí la mano y ella la estrechó entre las suyas.

—¿Eres Gumaro o Guillermo?

—Gumaro, señora.

—Sólo te conocía en las fotos que nos ha enseñado tu abuelo. Pásale.

Entré en el santuario del profesor Martorena. Les aseguro que ustedes jamás han visto tal cantidad de libros juntos en un sitio que no sea una biblioteca. Y diplomas... ¡vaya! Y yo que creía que mi abuelo era reconocido. Les juro que el profesor Martorena ha obtenido hasta la medalla a la puntualidad y al mejor peinado. Con todo, era un departamento chiquito y acogedor.

Mientras nos acomodábamos en la sala, yo trataba de descubrir en los espejos, en los adornitos y en las fotos de los hijos del profe qué distinguía a un panquecito remojado de un panquecito sin remojar.

—¿No deberías estar en la escuela, Gumaro?

—Señora, no le voy a mentir... primero necesito que me prometa que no le va a decir al profe que estuve aquí. Es importante.

—¿Tengo cara de soplona? —dijo sonriendo. Me cayó bien de inmediato.

—Se trata de lo siguiente... —tomé aire—. Si no lo sabe o no quiere decírmelo, está bien.

—Ya déjate de misterios y suéltalo.

—¿Usted sabe por qué nos dice "panquecitos remojados"? —pregunté al fin.

Sonrió ampliamente y se acomodó los lentes.

—¿Por qué quieres saberlo?

—¿Lo sabe?

—Es posible.

—¿Pero lo sabe?

—Sí, lo sé —rio—. ¿Por qué quieres saberlo?

—Porque me di cuenta de que no es un chiste, como muchos creíamos. Y que es bastante más importante de lo que suponemos.

—Tienes razón. Es muy importante, al menos para él.

—¿Por qué?

—Porque Sergio siempre está al pendiente de aquellos que súbitamente dejan de ser panquecitos remojados.

—¿Usted conoció a Horacio Yáñez?

—Claro. Y a Mario Huerta, y a Camila Rendón. A todos. Han sido como seis o siete, si no me equivoco.

Las manos me sudaban. Y no era por el café.

—Todos son grandes profesionistas, ¿verdad? Súper ingenieros o súper arquitectos o súper licenciados, ¿no?

—No, no va por ahí.

—Entonces... creo que... no entiendo.

—Horacio Yáñez trabaja en una delegación. Está en trámites vehiculares, o algo así.

El mundo se me vino abajo. ¿Y se supone que no era chiste? ¿Horacio Yáñez, la famosísima leyenda, en una oscura oficina entregando placas y engomados?

—Sigo sin entender.

—Todos ellos, a quienes Sergio llama "címbalos de hierro", no son los más inteligentes ni los más aplicados. Son excepcionales en otro sentido.

—¿Címbalos?

Dirigió la mirada hacia una repisa en la que yo no había reparado. En ésta había una discreta colección de campanas pequeñas. Se puso de pie, tomó una y la acarició con ternura.

—Aquí tenemos una campana de cada ciudad que hemos visitado. Estocolmo, Guanajuato, París...

Muchas de las campanitas ni siquiera eran de metal, sino de porcelana. Pero se notaba que la señora apreciaba todas y cada una de ellas.

—¿Puedes imaginar cuál es la diferencia entre una campana y un panquecito remojado? —preguntó.

—Eh... más o menos.

—¡Por supuesto que puedes! —rio e hizo sonar la campana unos segundos. Luego la depositó de nuevo en la repisa y se dirigió a uno de los libreros que cubrían las paredes de la habitación. Yo estaba un poquito abrumado. Por momentos sentía que tenía la respuesta frente a mis narices y, por momentos, sentía que la señora Martorena estaba intentando explicar el *rock & roll* a un sordo.

Acto seguido, tomó un libro de la inmensa colección.

—Todo viene de aquí, aunque en realidad se trata de un pequeño pasaje.

Abrazó el libro como si contuviera todos los secretos de los reyes del mundo.

—Sergio lo compró en una librería cuando estábamos en Londres. Recuerdo que eran como las 11 de la noche cuando lo leyó en voz alta unas tres veces, en inglés y en español. Dijo que jamás había encontrado una cita que describiera mejor lo que le gustaría distinguir en uno de sus alumnos para sentir que su docencia valía la pena. Apenas empezaba a dar clases...

Me extendió el libro. Se llamaba *The Pact. My friendship with Isak Dinesen*, de un tal Thorkild Bjornvig.

—Tienes hasta las 7:30 p.m. Sergio regresa de la universidad a las ocho. Buena suerte.

Lo que me había dicho me sonaba a sentencia de muerte, así que me eché a correr a la calle. No sabía qué hacer o adónde ir para resolver el misterio. Terminé sentado en la banqueta hojeando el libro. Pero para qué decirles mentiras, queridos amigos. Soy muy bueno para leer. Y un libro de 167 páginas está muerto de la risa. He terminado libros verdaderamente gordos en una tarde.

Pero un libro completamente en inglés va más allá de mis capacidades. Me sentí apabullado.

De repente, sentado en una banqueta de una colonia desconocida, con gente yendo y viniendo, los autos yendo y viniendo, sentí que no podía correr más riesgos. Vacié mis bolsillos y vi que sólo me quedaban $13 pesos. A los cinco minutos, ya tenía mi plan estructurado. Le marqué a mi mamá.

—Hola, ma. Necesito un favor enorme, enorme, enorme. Piensa en lo más grande que hayas hecho por alguien en la vida y multiplícalo por 100. Pues eso es lo que necesito —exageré. Al menos se trataba de uno de esos teléfonos de tiempo ilimitado por cinco pesos.

—¿Dónde demonios estás, Gumaro? —gritó—. ¿Por qué no estás en la escuela?

—Es de vida o muerte, mamá.

—Tu padre te fue a buscar a tu salón y nadie supo darle razón de ti. Ni siquiera René. ¿Dónde estás metido, maldito escuincle irresponsable?

—Vine a la casa del profesor Martorena, mamá.

—Si tu padre ya te liberó de eso, tienes que dejarlo, Gumaro. Ya no insistas. Como si no hubieras reprobado nueve materias —se le suavizó la voz un poco.

—¿Cómo supiste? —me horroricé.

—Soy tu madre. Es mi chamba. No creas que me tienes tan contenta. Y luego andas perdiendo el tiempo indagando la tontería ésa de los panquecitos remojados mientras tienes una boleta llena de cincos. ¡Por Dios!

—Pero es que, mamá... ya lo sé. Ya tengo la respuesta.

—¿Cómo? ¿Ya averiguaste qué significa?

—Creo que sí. Pero de veras necesito un favor.

—Está bien —suspiró fastidiada—. ¿Qué quieres?

—Que le pongas saldo a mi celular y que no me asesines cuando llegue a la casa.

—Está bien. Pero vas a tener que sacar puros dieces de aquí a que termine el año o no vas a volver a ver la tele ni a jugar Xbox en los próximos 50 años de tu vida.

—Te lo prometo. Al ratito nos vemos.

Apenas recibí la noticia de mi nuevo saldo, me puse a llamar como loco a todos los celulares de los chavos del salón mientras caminaba hacia el metro Patriotismo. Tenía poco tiempo; el primer recreo estaba a punto de terminar. Me urgía hablar con el Grumo.

Increíblemente, fue Georgette la que me respondió en sexto lugar:

—¿Quién habla?

—El Gugu, Georgette.

—¿Quién te dio mi celular?

—Lo saqué un día del teléfono de Elizondo. No me cuelgues, porfa. Es de vida o muerte.

—¿Dónde estás?

—Es una larga historia. ¿Anda por ahí el Grumo? Necesito hablar con él.

—¿Y por qué no le hablas a su celular?

—Ya lo intenté, pero lo trae apagado. Ándale, porfa. Te juro que no te vuelvo a hablar en toda mi vida.

—&%$/#@ Gugu. Espérame tantito.

Se tardó como tres horas en dar con el Grumo. Y yo con tan poco crédito. De veras que a veces la vida es peor que un videojuego con una rayita de vida y cero poderes.

—¿Qué quieres, Gugu? ¿Dónde andas?

—Necesito un favor del tamaño del Universo, Grumo. Piensa en lo más grande que hayas hecho por...

—Bájale, Gugu. ¿Qué te pasa? ¿Qué traes?

—Necesito que me ayudes a traducir un libro.

—Está bien. No te aloques. Me lo pasas mañana y ya.

—Tiene que ser hoy antes de las siete de la noche. Por eso te hablo. Para que digas que te sientes mal y te lances a mi casa. Allá nos vemos.

—¿Estás loco? No friegues. Va a haber examen de...

—Allá nos vemos. Gracias.

Colgué y me eché a correr al metro. Queridos amigos científicos, sé que ustedes no suelen ir mucho al cine, y menos a ver películas de James Bond, pero yo me sentía más 007 que el mismo Bond. Llegué a mi casa a las 12 sudando hasta por los párpados.

—¿Te volviste loco, Gumaro?

—¿No ha llegado Santiago?

—No me digas que sacaste a Santiago de la escuela.

—Él nada más reprobó una, no le va a pasar nada.

—Ay, Gumaro... espero que todo esto realmente valga la pena. Mucho. Si no, yo misma te voy a vender por kilo a algún secuestrador.

Me metí a mi cuarto y volví a mi pobre intento de sacarle al libro la verdad acerca de los panquecitos, pero no pude. Con todo y diccionario en línea, avanzaba como caracol en reversa. Mal plan.

El timbre sonó justo antes de la 1 p.m.

—Esto debe valer mucho la pena, ¿eh, idiota? —me saludó el Grumo.

—Eres un amor, Santiaguito precioso.

—Cállate. Te va a costar. No sé cuánto, pero te juro que te va a costar.

—Sí, ya, lo que quieras. Ándale. Éste es el libro —se lo extendí.

—¿Y qué demonios es ésto? *¿El pacto?* No manches, ¡se ve que está de g...!

—No te pongas en plan de príncipe y empieza a leer en voz alta —interrumpí—. Ahí está el secreto de los panquecitos remojados.

—¿No te iba a ayudar Rogelio con eso?

—Sí, pero no me ayudó casi nada. Ándale, lo tenemos que devolver antes de las 7:30 p.m.

Lo que siguió fue una historia de más de cinco horas en boca del tal Thorkild sobre su amistad con una escritora danesa llamada Isak Dinesen (que en realidad se llamaba Karen Blixen). El tal Bjornvig iba contando cómo se hizo su amigo, pues él también quería ser escritor y la señora Blixen le daba consejos.

No estaba tan insufrible como nos lo imaginábamos, pero tampoco era como para volverse loco de felicidad.

Cinco horas y aún no llegábamos ni a la mitad. Varias veces estuve a punto de darme un tiro porque el Grumo no leía tan rápido como yo hubiera querido, y el reloj no dejaba de avanzar.

Recuerdo que fue como a las seis y cacho cuando leyó algo que me hizo ponerme de pie de un brinco:

—"Algunas veces pienso que te has sumergido en tu entorno como un bizcocho que mojas en la taza de café hasta que lo puedes masticar sin esfuerzo."

¡Pow! Hasta él se despabiló y detuvo su lectura.

—Vuelve a leer, Grumo.

Repitió el texto, un poco más pausado.

—¿Tú crees que podamos sustituir la palabra bizcocho por panquecito?

—Yo creo que sí —contestó—. Puede ser una... ¿cómo le dicen? Interpretación.

Iba a darle un beso, pero se escudó tras el libro. Siguió leyendo hasta que terminó el pasaje. No les puedo describir lo que sentí, queridos amigos. Ahí estaba todo. Incluso las campanitas. El amigo Thorkild ya había ido a París y regresado, ya se había enfermado y curado, y la baronesa Blixen no dejaba de darle consejos. Y de repente, sin más, le había echado en cara que no era más que un panquecito remojado.

Corrí a la computadora.

—Díctame, Grumo.

Hasta él se mostraba más animoso. Nos habíamos convertido en cómplices, poseedores de la misma gracia, privilegiados conocedores del gran secreto. No puedo explicarlo, queridos amigos, pero la última vez que lo leyó, cuando me lo estaba dictando, era como si el profesor Martorena hablara en voz alta con las palabras de la señora Blixen, y nosotros fuéramos el compañero Thorkild, regañado a la distancia. Todo cobraba sentido.

Y para que no se lo pierdan, directamente de *The Pact. My friendship with Isak Dinesen*, de Thorkild Bjornvig. Publicado por St. Martin Press, Nueva York, 1983. Pág. 49. ¿Me falta algo? Ah, sí, traducción del famosísimo Grumo, alias Santiago Velázquez Mena:

*"Te diré algo ahora. Algunas veces pienso que te has sumergido en tu entorno como un panquecito que remojas en la taza de café hasta que lo puedes masticar sin esfuerzo. Ojalá hubiera podido decirte: sé duro. Nada tienen de malo el pan suave, las cobijas suaves, el pasto suave. Pero sólo las cosas duras resuenan. [...] Sería lindo tener una herramienta poderosa y magnífica que resonara fuerte y claro. La cuerda de un violín también es dura, igual que la del arco, y un vaso de cristal más bien delgado podría resonar si tuviera la suficiente dureza para resistir el chirrido. ¡Conviértete en hierro! Sentirás entonces lo que el panquecito nunca llegará a sentir: el poder del imán que te atraviesa hasta que te vuelves uno con él. El panquecito bien puede afirmar que el poder magnético es una bella ilusión, que ninguna realidad lo iguala, y podría ser difícil contradecirlo. Pero el acero* lo sabe."

A las 6:45 p.m. abracé al Grumo y fui corriendo a la sala, donde mi madre hacía cuentas en su *laptop*.

—¡Lo tenemos!

—¿En serio?

—Te lo juro. ¿Me haces un último favor? Bueno, dos.

—A ver...

—Llévame a devolver el libro y luego hay que darle un aventón al Grumo, digo, a Santiago, a su casa.

—Está bien... "Gugu" —respondió, cerrando su computadora—. Y a ver cuándo se empiezan a decir por sus nombres, que mucho trabajo nos costó a sus padres ponernos de acuerdo en cómo ponerles, como para que ustedes acaben dándose en la torre con sus apodos.

Con todo, mi mamá cumplió como toda una madre de "Monumento a la madre". Llegué a las siete en punto a devolver el libro. La señora Martorena confirmó que el pasaje que habíamos descubierto era, efectivamente, el que había inspirado el mote de los panquecitos remojados. Y el Grumo estaba entrando en su casa antes de que dieran las ocho. Un récord mundial en la historia de la investigación científica, amigos.

Y por último, para cerrar el día, sucedió otra cosa bastante significativa. Eran las 11:30 de la noche y acababa de prepararme un café a escondidas para no terminar dándole de topes al monitor de la computadora. Ya había llegado a la parte en la que la señora Martorena me mostraba las campanitas cuando me di cuenta de que el famosísimo Chatito —es decir, Rogelio, el hermano del Grumo— estaba conectado al Messenger. Detuve mi raudo tecleo y lo saludé:

Gugu: Hola, Rogelio.
Chatito: Hola, Gugu... ¿cómo va la escuela?
Gugu: Bien. Oye, por cierto, quería comentarte que estabas equivocado. El famoso panquecito sin remojar no era "el Diccionario", sino un tal Horacio Yáñez.
Chatito: ¿Horacio Yáñez García? ¿El "Cascarita"?
Gugu: ¿A poco tú lo conocías?
Chatito: Claro. Iba conmigo en tercero.

De veras puedo ser el mayor tarado de todos los tarados. Jamás se me ocurrió que Rogelio y Horacio Yáñez pudieran ir en el mismo grupo.

Gugu: ¿Y tienes idea de por qué el profe Martorena decidió que él era un címbalo y no un panquecito?
Chatito: ¿Un qué?
Gugu: Un címbalo. Es una especie de campana. Así les dice a los que dejan de ser panquecitos.
Chatito: A lo mejor fue por lo que pasó en la clase de Química.
Gugu: ¿Qué pasó?

Como se tardó en contestar, añadí:

Gugu: Te pago.
Chatito: Cálmate, Gugu. Estaba haciendo memoria. Es que la clase de Química era la primera que teníamos después del segundo recreo. Y el profesor no te dejaba entrar si llegabas tarde.
Gugu: ¿Y qué tiene que ver Hor
Chatito: No comas ansias, Gugu. El profe era bastante desagradable. Un par de veces hasta hizo llorar a alguna chava por llegar tarde. Lo curioso es que a veces él también llegaba tarde, pero nadie le decía nada.

```
Gugu: ¿Nadie?
Chatito: Nadie. Hasta el día en que
  el Cascarita lo enfrentó.
```

Me imaginé la escena tal como Rogelio me la contó. El profesor de Química llegaba 10 minutos tarde. Iba a su escritorio y se preparaba para dar clase, tan pancho como siempre. Entonces, un alumno se puso de pie, provocando una oleada de murmullos en el salón.

—¿A qué hora inicia la clase, profesor? —preguntó, de igual modo que hacía el profe cuando un alumno llegaba tarde.

—No te hagas el gracioso, Horacio —respondió molesto el profesor.

Y Horacio Yáñez, el famoso címbalo de hierro, continuó de pie, sin moverse un centímetro.

—Ya lo creo que no es gracioso, profesor.

—Vas a tener que acompañarme a la dirección.

—Estoy seguro de que el director estará gustoso de oír lo que ambos tenemos que contarle.

Rogelio dijo que el profesor se puso rojo, pero que no se atrevió a llevarse a Horacio a la dirección. Fingiendo que no había pasado nada, se dispuso a iniciar la clase, pero Horacio lo volvió a confrontar.

—Le pregunté a qué hora inicia la clase, profesor.

Rogelio dice que fue un fugaz pero enorme momento de gloria estudiantil. Varios lo apoyaron por lo bajito. El profesor tuvo que dejar el plumón con el que ya comenzaba a escribir en el pizarrón y contestó con la misma pena con la que hacía responder a los que llegaban tarde:

—A la 1:20.

—¿Y qué hora es?

El profesor no se atrevió a responder.

—¿Qué hora es, profesor?

Rogelio me contó entusiasmado que el maestro tomó sus cosas y abandonó el salón. Ni él ni sus compañeros pudieron evitar la gritería y los aplausos.

Horacio Yáñez, alias el Cascarita, nunca fue un alumno sobresaliente. Sufría con la Física y las Matemáticas como cualquier alumno, y a veces reprobaba una o dos materias. Pero ese día quedó grabado para siempre en la memoria de todos los de su salón. Y quizá todos se acuerden de él sólo por ese detalle.

El profesor de Química jamás volvió a llegar tarde. Y, al final del curso, calificó a Horacio con el mismo criterio que utilizó para todos los demás. Pasó con ocho.

> Chatito: Tal vez no haya sido la gran cosa, Gugu, pero ese día me quedó claro que no cualquiera habría hecho lo que hizo el Cascarita.

Queridos amigos científicos, la verdad ante todo: a mí también me quedó clarísimo.

<u>Sobre la existencia de los fantasmas</u>

Reporte Número 14

16 de diciembre

Prof. Sergio Martorena R.
P R E S E N T E

Ofrezco a usted una disculpa por no tener aún el informe definitivo. Continúo cotejando la información, pero procuraré llegar a alguna conclusión en breve. Con toda seguridad, mañana contará con el resultado y las observaciones finales.

Atentamente,
Cordelia Sánchez Sanabria
Grupo 202

## Miércoles 17 de diciembre

Queridos colegas de la comunidad científica
de este mundo hecho pedazos:

A veces me parece increíble que el comienzo y el final de un mismo día puedan ser tan distintos. Les juro que, ahorita, cuando estoy que me caigo de cansancio y no veo la hora de dormir dos días enteros sin que nadie me despierte, me da la impresión de que el momento en que mi madre me levantó a gritos esta mañana ocurrió en realidad hace un par de semanas. Palabra.

Me levanté como muerto viviente, me bañé como muerto viviente, mal desayuné como muerto viviente y subí al auto como muerto viviente. ¿Cómo se llamó la película? OK, mal chiste. Pero les juro que así fue. El recuerdo de los acontecimientos iniciales del día se pierde en mi cabeza como si los envolviera una espesa neblina.

Apenas puedo decir cómo llegué a la escuela, de qué trataron las primeras clases o qué le dije al Cuarenta. Lo que sí puedo decir con absoluta certeza es que Cordelia no fue a clases. Me imaginé que ya se había ido de vacaciones y, la neta, me dio un poco de envidia. Dichosa ella que saca puros dieces y puede largarse a la playa a tirarse en la arena sin que la moleste ninguna maldita preocupación de ningún maldito informe científico.

Con todo, en el primer recreo conseguí caminar hasta la tiendita y comprarme un refresco de cola, que me levantó un poco el ánimo. Me acuerdo que me encontré a Marissa en un pasillo y no pude resistirme a seguirla. No me pregunten cómo es que acabé dentro del baño de las niñas.

—¡Gugu! ¿Qué haces aquí?

—Te amo tanto que te seguiría hasta el fin del mundo.

Estoy seguro de que jamás habían oído una ñoñez más ñoña, queridos amigos, pero hay que considerar que yo había dejado el cerebro en casa. La mitad de mis neuronas estaban dormidas y, la otra mitad, estaban buscando un huequito entre las que ya roncaban para echarse también a dormir.

Me cayeron a zapes todas las niñas que estaban en el baño, que deben haber sido como 400. Como sea, no me arrepiento de haberle demostrado a Marissa que nuestro amor es más fuerte que cualquier ejército de amazonas furibundas.

La otra cosa que no puedo dejar de mencionar fue lo que sucedió en la clase de Física. Podría haber sido una clase como cualquier otra de las que da el profe Martorena, pero, en vez de ello, se dedicó a resolver dudas de lo que habíamos visto hasta ese momento en el curso.

Mientras lo hacía, me puse a pensar si no sería posible que yo levantara la mano y le preguntara algo que realmente valiera la pena. ¿Qué sintió cuando empezó la balacera? ¿Cuántos países conoce? ¿Cuántos idiomas habla? ¿Cómo sabe si el que se acaba de subir al pesero es o no un címbalo de hierro? A la mera hora, preferí no abrir la boca por puro temor de meter la pata. Honestamente, de unos días para acá, admiro tanto al profe que hasta me da un poco de miedo hablar con él.

No obstante, casi al terminar la clase, cuando estaba a punto de volver a quedarme dormido con los ojos abiertos, me llamó:

—Por cierto, Gumaro...

—Sí, profesor —respondí al instante, poniéndome de pie de un brinco, como un muñeco de caja sorpresa. Al menos las dos neuronas que todavía estaban de guardia, pudieron hacer sonar las alarmas y despertar a una buena porción de sus compañeras. Cuando dejaron de reírse los del salón, preguntó:

—¿Cómo vas con tu presentación?

—Bien, profe.

—Acuérdate de que, después de la pastorela, el estrado es todo tuyo, panquecito. Todos esperamos con ansias tu reporte.

—Sí, profesor.

—¿Sabes algo de Cordelia? Si mal no recuerdo, ella debe validar tus resultados. Tienes que presentar tu informe junto con el suyo. ¿Sabes por qué no vino?

Para variar, el grupo entero me hizo burla. No sé por qué no los mandó a todos a la Dirección para que los pusieran a desarrollar proyectos científicos.

—No. ¿Cómo voy a saber? —respondí molesto.

Se acabó la clase y yo volví a sentirme como cuacha líquida de reptil. El viernes iba a hacer un oso espectacular y Cordelia ya estaba tirada de panza en una playa. Me dio coraje. Yo ni sabía que tenía que presentar su mugroso informe junto con el mío.

Me puse de mal humor. Ni siquiera Marissa, que volteaba a verme de repente, me compuso el ánimo. Después de todo, le habían prohibido tener novio hasta que mejorara sus calificaciones y faltaban como 10 siglos para la siguiente entrega de boletas.

Después del segundo recreo, volví a poner mi cerebro en piloto automático. Ni siquiera el Cuarenta se daba cuenta de mi cara de palo; se la pasó mandándole canciones a Paty por *Bluetooth*.

—¿Ya sabe que te gusta o nada más eres su proveedor musical? —le pregunté.

—Qué te importa.

—¿Sabe o no sabe?

—Púdrete, Gugu.

Igual de amena fue la plática en el coche de mi mamá cuando íbamos hacia nuestras casas.

En cuanto traspasé la puerta de mi departamento, agarré el teléfono. Estaba resuelto a hablarle a Cordelia para reclamarle todo lo buena científica y todo lo mala colega que era, pues me dejaba morir como perro a mitad de la calle. Sin embargo, apenas tuve el teléfono en mis manos, me di cuenta de que no tenía el número de Cordelia. Jamás se lo pedí.

Me quedé como un tonto con el teléfono en la mano, de pie entre el comedor y mi recámara. El Memo ya había terminado de comer y, al pasar a mi lado de camino a su cuarto, aprovechó para obsequiarme un buen jalón de greñas. Pero igual y fue por esa zarandeada que, milagrosamente, me acordé.

—Mi celular.

—Gumaro, siéntate a comer —me urgió mi madre, que ya había servido la sopa.

Alguna vez Cordelia me había marcado al celular y su teléfono de seguro estaba en mi memoria. Y sí, ahí estaba. Hubiera sido un excelente recurso si la muy maldita se hubiera dignado a contestar. De seguro me estaba cobrando la vez que yo me le escondí. La llamé fácil 12 veces. El Memo volvió a pasar a mi lado y me volvió a jalonear los cabellos.

—¡Gumaro! ¡Siéntate a comer! —rugió mi madre, y luego—: Quítate la mochila de la espalda. ¿Qué te pasa?

Tuve que obedecer y, mientras atacaba mi ración de sopa, le anticipé:

—Mamá, voy a tener que ir a casa de Cordelia.

—¿No que ya habían terminado?

—Sí, pero no me dio sus informes. Y los necesito.

—Pues ve —sentenció, sin dejar de comer.

—¿Puedo hablarle al señor Medina para que me lleve?

—No.

Comprendí que mi mamá ya estaba harta de verme ir y venir como un maldito búmeran. Hasta ahí había llegado la ayuda económica de la familia Gutiérrez Ávila al proyecto científico de la década. Toda una madre desnaturalizada, ella.

Terminé de comer y me puse de pie con la peor carota en la historia mundial de las carotas de hijos traicionados por sus madres. Agarré el poco dinero que tenía y me dispuse a irme, no sin antes detenerme frente a mi madre, que ya se maquillaba para salir.

—¿Puedo hablarle al señor Medina pa...

—No.

—Ya, ma. ¿Puedo hablarle al se...

—No.

—¿Ya no te importa que me secuestren? ¡Ojalá me secuestren! ¡Ojalá pidan tanto dinero que lo único que vuelvas a ver de mí sea mi dentadura!

Puso su rostro frente al mío y me tomó de la barbilla.

—Nunca va a dejar de darme miedo que te secuestren o que algo te pase, Gumaro. Pero en estos días pasó algo que no había notado. Y eso cambia un poco las cosas.

—¿Qué es lo que pasó, si se puede saber?

—Que estás creciendo.

Me miró con cariño y me dio un beso en la frente, apurándose a limpiar la mancha de labial.

—Siempre voy a estar al pendiente de ti, Gumaro. Pero también tengo que dejarte hacer las cosas por ti mismo. Ayer me impresionaste. Pese a que transgrediste algunas reglas, hiciste lo que te dictó tu conciencia. Y eso, más que molestarme, me gustó. No se lo digas a tu padre, pero me gustó.

Y ahora, ¿cómo le reclamaba?

—Es que a lo mejor Cordelia ya se fue de vacaciones. Y si voy a su casa y no está, me va a dar un torzón del puro coraje.

Se alzó de hombros y me miró con cara de "¿y qué quieres que yo haga?".

—Bueno... —me resigné—. ¿Por lo menos me das un aventón al metro?

—Eso sí que lo puedo hacer con mucho gusto —dijo, revolviéndome el cabello.

Me dejó en la estación Sevilla y, de ahí, tuve que ingeniármelas para llegar a casa de Cordelia. Preguntando absolutamente a todos los policías del metro, me enteré de que la estación más cercana a su casa era la de Niños Héroes y no la Doctores, como yo creía. Ya en la calle, di varias vueltas equivocadas, pero al final llegué a su ruinoso edificio.

Llamé al timbre con una sensación extraña en el cuerpo. ¿Y si de veras no estaba? ¿Y si de veras ya se había largado? No me veía echándole la culpa de mi fracaso ante toda la escuela. La odié por ser tan ñoña e incumplida a la vez. Recordé que ella misma me había dicho que todos sus informes los dirigía al profesor Martorena. ¿Por qué no se los había entregado? Mal plan, en serio.

Volví a tocar el timbre con la incipiente seguridad de que la muy traidora estaba viendo una maldita puesta de sol de tarjeta postal. Entonces escuché una voz femenina que, supuse, sería de su madre.

—¿Quién?

—Disculpe, ¿está Cordelia?

—¿Quién la busca?

—Gumaro Gutiérrez. Estuve trabajando con ella en lo del informe de los fantasmas, señora.

—Pásale, Gumaro.

Liberó la puerta de la calle y entré mucho más animado. Seguramente estaban por partir y yo las había alcanzado de puro milagro. Subí los escalones de dos en dos. Que me entregara de una vez los mentados informes para que pudiera largarme a mi casa a pelearme con el informe definitivo. Si quería irse a Noruega o Madagascar, por mí, que le aprovechara.

La señora me esperaba con la puerta entornada.

—Buenas tardes, señora.

—Hola, Gumaro. Pásale.

—¿Sí está Cordelia?

—Está un poquito indispuesta. Por eso hoy no fue a la escuela.

—Ah... —me llamó la atención ver que la señora traía puesta una especie de bata de baño y pantuflas. Seguramente su avión, camión o lo que fuera saldría bastante más tarde.

Además, en medio de la mesa había una cosa increíble: un pastel con un par de velas que formaban el número 15. Tuve un repentino mal sabor de boca.

Sin quitar la vista de encima al pastel, le pregunté a la señora:

—¿Le puede decir que nada más vine por su informe?

—A ver si quiere abrir. Ha estado encerrada en su cuarto todo el día.

Abandonó la estancia y se dirigió al fondo del departamento. Me quedé parado entre la mesa del comedor y la sala, observando aquella foto de Cordelia cuando era niña, sonriente, bonita, mientras la señora llamaba a la puerta de la recámara de su hija.

—Corde... hija... aquí está Gumaro.

Me entretuve paseando la vista por todos lados tratando de controlarme. Si no salía, iba a tener que entrar en su cuarto y obligarla a que me entregara sus mugrosos informes con mi doble Nelson.

Y el maldito pastel con las velitas intactas.

—Cordelia...

Mis ojos fueron de las placas teatrales a los adornos, a las fotos; de los muñequitos de porcelana, a las carpetitas sobre los sofás y a la computadora apagada. Me pregunté si las maletas estarían en alguna de las habitaciones porque ahí no se veía nada. Incluso se escuchaba la lavadora. ¿Quién se pone a lavar cuando está a punto de irse de vacaciones?

Y el maldito pastel...

—Hija...

Entonces vi que, junto a la computadora, había un montón de hojas tamaño carta. Eran 200 o más. Me animé a acercarme. En efecto, eran las mismas hojas que alguna vez había visto en esa misma estancia. La de hasta arriba decía:

*Sobre la existencia de los fantasmas*
*Trabajo que presenta para aprobar la materia de Física*
*la alumna Cordelia Sánchez Sanabria*

La señora apareció por el pasillo.

—Discúlpala, Gumaro. Es que se sintió mal desde la mañana. Por eso no fui a trabajar.

—No se apure, señora. Ya encontré las hojas.

—Qué bueno.

Me puse a darles una revisada para verificar que todo estuviera ahí. Nuevamente me maravilló lo bien hecho que estaba su maldito informe; estaba lleno de gráficas y tablas bien derechitas y con un chorro de registros de lecturas de los aparatos que yo ni había tomado en cuenta. Con toda seguridad, mi informe definitivo jamás le llegaría ni a los talones al que tenía en las manos. Hasta cierto punto, me sentí agradecido. Si al final no podía escribir ni dos letras, tal vez podría presentar ese trabajo en la escuela. Probablemente no importaba tanto el resultado sino lo bien que hubiéramos hecho las cosas.

—Bueno... ¿le da las gracias a Cordelia de mi parte?

—Sí, Gumaro. ¿No te quedas al pastel?

—Este... ¿al pastel?

Creo que esa fue la primera vez que realmente miré a los ojos a la mamá de Cordelia. Era bastante parecida a su hija, pero como 100 veces más triste y 100 veces menos enojada.

—Hoy es cumpleaños de Cordelia y...

No supo qué más decir. Los 15 años de Cordelia y ella, encerrada en su cuarto. Sola. Qué vals ni qué chambelanes ni qué nada. De repente lo supe: lo del viaje era una cochina mentira. Lo único que Cordelia quería en un día "tan especial" era encerrarse y no saber nada del mundo. A lo mejor porque el mundo tampoco quería saber nada de ella.

Sentí un nudo del tamaño de un puño en la garganta, así que me senté en una silla con mi bulto de hojas sobre las piernas.

—A ver si sale en un ratito —dijo la señora—. ¿Quieres refresco?

—Bueno.

En mi vida he visto ojos más tristes y cansados. Cuando volvió con el refresco, el silencio se había vuelto tan espeso que casi lo podía sentir pegado a las orejas. No se oían ni los coches ni la gente de la calle. Nada. Apenas se percibía el tic-tac de aquel reloj de pared que ya me era súper familiar.

—¿Y cuándo se murió su esposo, señora? —pregunté para matar el maldito silencio.

Me miró con extrañeza.

—¿Cómo dices?

—Que cuándo se murió su esposo...

—¿Eso te dijo Cordelia? ¿Que su papá murió?

Sentí como si un montón de fichas de dominó, puestas en fila, comenzaran a venirse abajo. Una tras otra. Una tras otra. Una tras otra.

—Su papá no está muerto. Estamos divorciados desde hace un par de años.

Una tras otra hasta que la última hizo sonar una campana en mi cabeza. A lo mejor era una tremenda grosería, pero me ganó el impulso, para variar. Puse el informe sobre la mesa y, sin pedir permiso ni disculparme, corrí hacia la puerta cerrada al final del pasillo.

Golpeé con la palma abierta sobre la madera.

—¡Cordelia! ¿Qué carajos te pasa? ¡Sal!

El silencio se vino abajo como un millón de vidrios cayendo del cielo y estrellándose contra nuestras cabezas con gran estrépito. La señora apareció detrás de mí. Y de pronto, como si yo fuera el tipo más sensato del mundo y no un loco de 14 años que había perdido la cabeza, ella se unió a mis gritos.

—¡Corde! ¡Hija! Gumaro tiene razón. Ni siquiera has visto tu pastel...

Tras unos cuantos segundos, la señora al fin se animó a girar la perilla. Ambos nos sentimos como un par de tontos después del pequeño teatrito que habíamos armado: el cuarto estaba vacío.

La señora entró en la habitación, confundida. Yo me quedé en el pasillo. Y entonces, una hoja de papel doblada sobre la cama llamó nuestra atención. Ella la tomó, la desdobló, la leyó. Regresó a la sala a hacer una llamada, apenas disculpándose entre dientes al pasar a mi lado.

Me encontré a solas frente al pequeño cuarto de Cordelia, contemplando un par de muñequitos de peluche con máscaras griegas de teatro, un póster de Leonardo Di Caprio y otro que decía "Visite Hawaii", y un reloj despertador idéntico al mío, con todo y los duendes saludando desde la puerta. También había un librero repleto de gordos volúmenes, sí, pero ni un solo matraz, ni un microscopio, ni un telescopio... Era el típico cuarto de una típica chava de 15 años.

Volví a la estancia sólo para oír a la mamá de Cordelia decir "Ay, hija" una y otra vez. Terminó la llamada con un "Cuídate, nos vemos el domingo, entonces". Y se volvió a mirarme con los mismos ojos tristes.

—Se fue a pasar el fin de semana con sus primos de Tlalpan. No sé por qué no me avisó. Y yo que creí que estaba en su cuarto. ¿Quieres tantito pastel?

—¿No se habrá ido con su papá? —me arriesgué a preguntar.

—Su papá tiene otra familia desde hace casi un año y...

No supo qué más agregar. A lo mejor de ahí venía su tristeza. Y mi incomodidad. Me inundó una inexplicable lástima por la señora. Decidí que si no me iba cuanto antes, reventaría.

—Gracias por todo, señora.

A los dos minutos, ya me encontraba en la calle. Tenía un sentimiento de desamparo que me oprimía el pecho como nunca.

Ya era de noche, pero no se me dio la gana caminar a la estación Niños Héroes. Todavía no. Me senté en los escalones de la puerta de entrada del edificio y me puse a revisar los informes de Cordelia. Uno por uno. Las gráficas, las mediciones, las conclusiones...

No podía sacarme de la cabeza que el señor Sánchez no había muerto, sino que estaba quién sabe dónde mientras su hija Cordelia se había ido con sus primos a Tlalpan y...

Los esquemas. Las tendencias. Los croquis...

Supongo que era natural que procurara desenterrar algo del pesado mamotreto. Día tras día, página tras página, sentencia tras sentencia, me hundí en la voz impersonal de Cordelia dirigida al profesor Martorena, a quien ya conocía tan íntimamente como si también fuera mi mentor, mi pariente, mi amigo. Por eso, cuando llegué al reporte de este miércoles aciago, no pude sino sentir un golpe en el pecho.

Era una sensación novedosa y desconcertante. Como si me abrazaran, me consolaran y me colmaran de un calor que no me correspondía.

Creí que me engañaba la vista por no haber dormido bien en tantos días. Me dio rabia y ternura. Fue como si después de una carrera de horas y horas, cuando nadie más sigue en la pugna, cuando ya es de noche y, exhausto, abatido y desesperanzado, por fin cruzas la meta en último lugar, te das cuenta de que alguien te ha estado esperando todo ese tiempo con un poco de agua. Alguien que nunca dejó de creer en ti y que sabía que, eventualmente, llegarías. Rabia y ternura, no lo sé explicar de otro modo.

El maldito pastel de cumpleaños. Creo que lo supe desde que la mamá de Cordelia abrió la puerta de la habitación y desdobló la nota.

Me puse de pie y toqué el timbre de nuevo.

—¿Quién?

—Señora... soy yo otra vez. Este... nada más una última cosa. ¿Me puede dar el número del celular de Cordelia para llamarle y darle las gracias?

La señora me dictó el número.

—¿Sí me contestará? Hace rato le llamó usted al celular, ¿verdad?

—Sí. Hace rato le llamé ahí. Yo creo que sí te contesta.

—De todas maneras, no sea mala, páseme el teléfono de sus primos, por si acaso.

Me dictó el número. Caminé hacia una caseta telefónica e hice una llamada a Tlalpan.

Y así, con una breve conversación con cierto tío segundo de Cordelia, confirmé mis sospechas. Pero en vez de regresar sobre mis pasos e informar a la señora Sánchez, detuve un taxi. Me urgía llegar a mi casa. A fin de cuentas, a mí qué diablos me importaba. Quería llegar a mi cuarto, redactar esta entrega y olvidarme de todo.

Estaba muy cansado.

—¿Estás bien, mi cuate? —me preguntó el taxista como a las cuatro cuadras.

Ni le contesté.

—¿Te tronó tu chava?

Me miré en el reflejo de los vidrios. Me veía muy mal. Me limpié las mejillas y me soné con el klínex que me pasó el chofer.

Cuando llegamos a mi casa, tuve que llamar al timbre y pedirle a mi mamá que me prestara para el taxi. Me regañó un poco por el interfón, pero cuando bajó con el dinero y vio mi carota se dejó de cosas. Ni siquiera me interrogó cuando subimos por el elevador. Sólo me revolvió el cabello y me preguntó si quería tantita leche.

Y aquí termino ésta que tal vez sea la última entrega de mi informe preliminar porque mañana es jueves y urge que prepare el definitivo. Lo único que puedo agregar es que, a mí qué diablos me importa. Hace dos semanas, Cordelia era un cero a la izquierda en mi vida. Y puede seguir siéndolo para siempre.

Sobre la existencia de los fantasmas

**Reporte Número 15**

17 de diciembre

Prof. Sergio Martorena R.
P R E S E N T E

Considero que esto constituirá la mayor de las sorpresas para usted. Confieso que para mí lo fue, pues no esperaba en absoluto un resultado como el que a continuación presento, pero no hay otra explicación para lo que vimos y medimos el lunes pasado.

Admito que tuve mis reservas en un principio y que pensé que estábamos ante un fenómeno que obedecía a causas completamente naturales, pero por más que revisé la evidencia, no pude llegar a dicha conclusión. En el cuerpo de este informe encontrará las razones debidamente explicadas del por qué no puedo sino validar la hipótesis original de nuestra investigación en vez de refutarla.

Para decirlo en los términos más simples y concisos, valido por este medio que los fantasmas sí existen y que el líder de proyecto, Gumaro Gutiérrez Ávila, estuvo en lo correcto desde el principio.

Atentamente,
Cordelia Sánchez Sanabria
Grupo 202

## Jueves 18 de diciembre

La verdad es que no pude más. Me acosté a las 11 de la noche, pero me levanté como a la una porque nunca pude pegar el ojo. Eché lo poco que tengo de valor (mis dos relojes, mi celular y mi i-Pod) en la única maletita de mano que tengo, me vestí y salí de mi cuarto sigilosamente con los tenis en la mano. Mis papás tienen el sueño de piedra, pero chavo precavido...

Me metí al cuarto del Memo. Cerré la puerta sin hacer ruido y lo sacudí hasta que despertó.

—¿Qué &%&$#! quieres, Gumaro? No estés fregando a estas horas.

—Necesito un favorzote.

—Ajá. ¿A la una de la mañana? Estás bien idiota. Lárgate a dormir y no molestes.

Se dio la media vuelta, pero volví a zarandearlo.

—Te lo digo en serio, Gumaro. Deja de fregar o...

—No te lo pediría si no te conviniera.

Es la única forma de hacer tratos con mi hermano: demostrándole que va a sacar tajada.

—Sí, cómo no —dijo, espabilándose un poco.

—Es más, hasta te va a dar gusto.

—Vete a dormir.

—Me voy de la casa.

Se frotó la cara. Se apoyó en uno de sus codos.

—¿Qué tontería dices?

—Lo que oíste. Nada más necesito que me des un aventón a la terminal de autobuses.

Así logré captar su atención. Prendió la lámpara de su buró y se sentó. Supongo que me creyó nada más porque me vio vestido y con la mochila al hombro.

—A ver... ya, en serio —se volvió a frotar la cara—. ¿Qué mosco te picó?

Es un tarado de campeonato. Cree que lo sabe todo y la mayor parte del tiempo se comporta como si fuera una combinación entre artista de la tele, alumno modelo y atleta internacional. Pero en ese momento, me escuchó sin interrumpirme ni regañarme por varios minutos. Dice que va a estudiar Derecho cuando salga de la prepa y, de repente, cuando posó la vista en sus tontas pantuflas de los Yankees mientras intentaba decidir si me delataba o me apoyaba, pensé que en una de ésas sí se vuelve un licenciado importante y termina defendiendo las causas más nobles.

Ya íbamos en el coche, dando la vuelta en Río Nilo, cuando preguntó:

—¿Y qué les digo a mis papás?

No supe qué responder. En el fondo, no sabía qué demonios estaba haciendo.

—¿Cómo sabes que está en Zicatela?

No le respondí. No había dormido, la cabeza me daba vueltas, los semáforos en amarillo intermitente me parecían una alarma sonando en mi cabeza que me instaba a volver a mi casa y olvidarme de todo. Al fin y al cabo, a mí qué diablos me importaba.

—Gumaro... que cómo sabes que...

—Te oí.

—Pues responde, tarado. No soy tu maldito chofer.

Dejé pasar un par de minutos para volver a hablar. Ni siquiera habíamos prendido el radio.

—Pues no lo sé.

—¿Entonces de dónde sacas que...?

—Porque tiene una fijación con el *surfing*. Y como no podía dormir, me puse a buscar en Internet y averigüé que Zicatela es la playa más cercana en la que puedes surfear chido.

—Pero no estás seguro.

—No, no estoy seguro.

Seguimos en silencio por esas avenidas que no reconocería ni en un mapa. Y yo seguía sin una maldita idea de lo que estaba haciendo.

—¿Estás enamorado de ella?

—¿Cómo crees? No molestes. Es otra cosa.

—¿Qué cosa?

Volví a quedarme callado. Él negó con la cabeza y yo aguanté todo lo que pude el peso de esa pregunta en el aire. No sabía la respuesta. La cabeza me daba vueltas y yo no me veía llegando a Zicatela, Puerto Escondido, Oaxaca, preguntando en todos lados por una chava gorda que quería surfear.

No sólo era aquel dibujo que la vi haciendo a escondidas ni los cromos de sus cuadernos. No. Era su cara cuando hablaba del viaje a la playa. Nadie lo había notado; nadie más que yo. Porque sólo yo había estado ahí cuando hablaba de ello. Y porque algo me decía que Cordelia no se iba a la playa de vacaciones...

En ésas estaba cuando sonó mi celular, como si todos esos pensamientos hubiera convocado el timbrazo. Contesté de inmediato porque creí que sería Cordelia. Quién lo iba a decir.

—¿Se puede saber dónde andan, Gumaro?

No tenía ganas de responder, pero tampoco quise colgarle.

—¿Por qué nos pusiste a trabajar juntos? Nada más dime eso: ¿por qué?

—Primero dime dónde andan, Gumaro. Tu mamá está muy preocupada.

—¡Respóndeme, papá!

El Memo me miró con espanto. Jamás me había oído hablarle en ese tono a mi padre. Esperé la respuesta tratando de controlarme.

—¿Están bien? —insistió el viejo después de una breve pausa.

—Sí, estamos bien —contesté con desgano.

A esto siguió un nuevo silencio. Estuve a punto de colgar y aventar el celular por la ventana.

—Era importante para mí —se animó a decir.

—¿Importante? ¿Por qué?

—Hace como un mes me llamó la mamá de Cordelia para decirme que le preocupaba su hija; que estaba distante y evasiva. Me pidió que la vigilara sin que se diera cuenta. Estaba segura de que no estaba asimilando bien lo de la nueva familia de su padre.

—¿Y eso qué tiene que ver conmigo?

—Creí que si trabajaban juntos... En fin. Es obvio que me equivoqué.

—¿Qué creías que pasaría? ¿Que nos haríamos grandes cuates o qué? —respondí un poco molesto. No me gustó sentirme utilizado.

—¿De veras habría sido tan difícil? Está bien, lo admito. Creí que se harían amigos.

—¿Y por qué yo? La hubieras puesto a hacer algo con... no sé, con Octavio Elizondo, que es un galanazo. O con Hugo Salcedo, que es un cerebrito igual que ella.

—Tenías que ser tú, Gumaro.

—¿Ah sí? ¿Y por qué?

—Por tu manera de ser.

—¿Y se puede saber cómo demonios soy? —grité.

El Memo volvió a abrir grandes los ojos y volteó a verme. Tuvo que dar un volantazo para esquivar a un taxista.

—Intenté explicártelo el domingo. No me siento con derecho a definirte. Pero sí puedo decirte algo que quizá te ayude. Eres todo lo que Cordelia no es.

—Claro. Un tarado que reprueba 9 materias de 12.

—Esto no lo oíste de mí, pero no todo en esta vida son medallas y diplomas.

No supe qué más agregar. No quería tener esa conversación. Ni con el Dire, ni con mi padre. Quería que todo terminara. Quería quedarme dormido y despertar en Navidad.

—Nada más dime dónde andan, Gumaro. ¿Tiene que ver con Cordelia?

—En este momento estamos llegando a la Terminal de Autobuses Oriente.

Le colgué justo cuando el gran edificio de la TAPO apareció ante mis ojos. Y pese a que yo creí que el Memo me iba a botar con el coche andando, entró en el estacionamiento. No objeté nada cuando se bajó conmigo y caminó a mi lado. No delante de mí, ni detrás. A mi lado.

—¿Traes el cargador de tu celular?

—Cállate. Ya suenas como mi mamá.

—¿Lo traes?

—Sí. Ya cállate.

—También ten mi tarjeta —me extendió su tarjeta de débito—. Ándale, antes de que me arrepienta. Le quedan como $600 pesos.

La tomé sin dejar de caminar.

Un autobús a Puerto Escondido. Eso era lo que estaba buscando. Todo por ponerme a bailar en clase de Física. La cabeza me giraba como un trompo. Los panquecitos remojados, la baronesa Blixen, las mediciones del EMF, la plaza de Tlatelolco, Marissa, "El Diccionario"... Todo se revolvía en mi cerebro como un horrible y espeso batidillo. Supongo que por eso me tardé tanto en reaccionar cuando vi a Cordelia sentada en una fila de cuatro butacas blancas.

Cordelia, con la mirada puesta en las puertas de cristal que llevan a los andenes.

Cordelia con una maleta grande.

Cordelia Sánchez Sanabria.

—¿Qué demonios te pasa ahora? ¿Por qué te detienes? —preguntó el Memo.

—Es que... ahí está. La chava que te conté. Es la que está ahí sentada.

Tuve que hacer un esfuerzo para convencerme de que no era una alucinación. Eran las dos y cacho de la mañana y Cordelia aún no se había ido. Probablemente no había conseguido boleto.

El caso es que ahí estaba. Y yo, el que nunca la lleva bien con el destino, me ahorré automáticamente una búsqueda infernal en una playa llena de surfistas.

—Arregla lo que tengas que arreglar, Gumaro. Te espero en la zona de comida. Pero antes regrésame mi tarjeta, tarado. No vaya a ser...

Caminé hacia Cordelia y cuando me detuve frente a ella, espeté:

—Ahora sí te llevaste el Óscar a la tarada del año.

—¿Qué estás haciendo aquí?

Tenía la misma carota de aquella "rara alergia" con la que la caché alguna vez. Incluso traía un klínex hecho bola entre las manos, pero a mí me importó un pepino. Saqué de mi maletita la hoja que pensaba restregarle cuando llegara al Pacífico.

—¿Con quién vienes? —miró en derredor.

—Por mí, vete al fin del mundo si quieres, pero, ¿qué fregados significa esto? —desdoblé frente a sus ojos el mentiroso informe que se había aventado el día anterior—. ¿Qué maldita telenovela es ésta?

—No tengo que darte ninguna explicación, baboso.

—Pues te amuelas, porque no vine hasta acá para desearte un buen viaje.

—Me voy a meter al baño de mujeres.

—Te sigo.

No se movió un milímetro. ¿Se daba cuenta de que estaba ensuciando para siempre su nombre con esa estúpida afirmación? Seguramente sí, pero le daba igual por una razón: que nada habría importado si se hubiera salido con la suya y se hubiera encontrado lejos cuando la bomba explotara. Miré con tristeza su nombre en el papel.

—No pensabas regresar, ¿verdad? —pregunté. No la veía volviendo a clases después de afirmar públicamente tamaña tontería, pero todo lo que dijo fue:

—Me dijo que me iba a enseñar a surfear.

No. Eso no tenía nada que ver con los fantasmas, con la ciencia, con el método y la objetividad de ningún sistema de demostración de nada.

—Todos los años me lo decía. "Cuando cumplas 15, te voy a llevar a la playa y..."

Un par de gordos lagrimones le escurrieron por las mejillas. Me sentí de la patada.

—Perdón —fue lo único que pude decir mientras me sentaba en una butaca a su lado con mi maletita entre las piernas.

—No sólo lo hice por ti.

Y se abrió el último resquicio. Toda la luz entró en mi cabezota como el sol que te deja ciego al salir del cine.

Era completamente cierto; Cordelia, al final de ese horrible maratón, me había estado esperando con un vaso de agua en la línea de meta. "No sólo lo hice por ti." Me sentí un verdadero desgraciado.

—No te entiendo.

—En el fondo, siempre te he envidiado, Gumaro. Siempre envidié que creyeras esa tontería, que pensaras que un fenómeno absurdo fuera posible y que, además, te empeñaras en demostrarlo.

—Pero si es una completa estupidez. Nunca pudimos demostrar nada.

—Es cierto, pero por un momento me dieron ganas de creer, de dejarme llevar, de no tener que razonarlo todo. Me dieron ganas de ser como tú, porque tú no necesitas explicarte las cosas para disfrutarlas. Tú te avientas y ya. Al principio creí que eras así por ser hijo del Director, pero luego me di cuenta de que no, de que así eres siempre —se limpió las mejillas con el dorso de la mano—. En cambio, yo no he podido subirme a ningún maldito camión en todo el día.

Y claro, el rey de los discursos no encontró una sola palabra que decirle. Mal plan.

—Muchas veces me despierto pensando... —continuó sin quitarle la vista a un autobús que partía— si no estaré ya muerta. Hay días en que voy a la escuela, o visito algún parque, o me meto a ver una película y nadie se da cuenta de que estoy ahí. Nadie.

¿Cómo negarlo? Llevaba quién sabe cuántas horas ahí sentada y de seguro nadie se había acercado a preguntarle si se encontraba bien, si se le ofrecía algo.

—A veces pasan días enteros... —exclamó, un poco más entera, pero aún con esa fea melancolía en la voz— ... sin que nadie me toque. Y casi siempre es por accidente. Un roce en el pesero, un empujón en el patio de la escuela...

En serio hay cosas que uno nunca debería de sentir. Y no hablo de mí, sino de Cordelia, a media noche en una terminal de autobuses con destino a ninguna parte. Hablo de una chava insufrible y pasada de peso, sí, pero lo mismo una chava como cualquier otra, que se merece vivir todo lo que una chava debe vivir: que le llamen por teléfono los sábados, que la inviten a salir, que le chuleen el peinado, que algún día recorra las bases, en fin. Hablo de que una persona nunca debería sentir que está muerta. No mientras esté viva.

—Durante mucho tiempo creí que mi papá era la única persona que me quería como soy. Y por él siempre me esmeré en ser la mejor alumna, la mejor hija... Y ya ves, se volvió a casar. Ahora tiene dos bebés. Ni siquiera me llamó en mi cumpleaños. Ya ni para qué te cuento de una maldita promesa que jamás va a cumplir...

—A lo mejor ayudaría tirar todas sus placas de teatro a la basura.

Sonrió. Y se volvió a limpiar las mejillas con el dorso de la mano.

—A lo mejor.

Nos quedamos un buen rato viendo los camiones que llegaban y se iban, contemplando cómo el mundo puede girar a tu alrededor sin darse cuenta de que estás ahí. Pensé qué extraño era que dos personas completamente distintas tuvieran el mismo reloj despertador de hongo con todo y duendes sin saberlo.

Dejó de llorar y yo me sentí menos mal.

—Oye... antes de irme... unas cuantas cosas, nada más —me animé a decirle—. De hecho, sólo cuatro cosas más.

—No vayas a empezar con tus babosadas —me reclamó, pero en su voz había un tono muy distinto del que solía usar, como si ya no estuviera enojada.

—La primera —miré mi reloj—: aunque tres horas y 29 minutos tarde, feliz cumpleaños.

—Cierra la boca, tonto —respondió sonriente y se limpió la nariz con su klínex hecho una desgracia.

—La segunda: ¿sabías que te pareces a Katie Holmes?

—Sí, claro. Soy la hermana gorda de Katie Holmes.

—Pero no siempre fuiste la hermana gorda de Katie Holmes. Te vi en esa foto de cuando estabas más chavita. Eras Katie Holmes en persona.

—Bueno, sí. Pero entonces mis papás se divorciaron y... en fin, no quiero hablar de eso.

—La tercera. Te tienes que ir a Zicatela. Eres una tonta si no te vas. ¿Quieres surfear? ¡Pues vete a surfear! ¿Qué necesidad tienes de que te enseñe tu papá? ¡Debe de haber un millón de gringos que morirían por enseñarte!

—Ja, ja. Seguro.

—Nada más que sí tienes que regresar. No sé cuál era tu plan original, pero tienes que volver a tu casa. El Instituto Académico Súper Superación necesita a todos sus ñoños para el año que entra. Si alguno falta, ocurrirá un cataclismo nuclear.

—Sí, chistoso. ¿Y la cuarta?

Me puse de pie. Ya se me había olvidado. ¿Había una cuarta? Como si importara. De seguro conté mal. Me eché mi maletita al hombro y metí las manos en los bolsillos de mi pantalón. No quería despedirme, queridos amigos. Búrlense, pero así fue.

—Este... ¿la cuarta?

—¿Cómo supiste que me iba a Puerto Escondido?

—Soy como tu tío Sherlock, Katie. Basta con que seas objetivo, racional y sistemático. Causa y efecto. En fin, todo eso.

Volvió a sonreír. Supuse que darle la mano sería ridículo y terminé por hacerle un ademán con la cabeza.

—Oye... —dijo, mientras comenzaba mi retirada.

—¿Qué?

—Gracias.

Toda una Katie Holmes. Rechonchita, sí, pero quién te dice que la esposa de Tom Cruise no necesita unos cuantos kilitos de más.

—Ah sí, la cuarta —recordé—. Mañana se entera toda la escuela de que tienes un póster de Leonardo Di Caprio en tu recámara.,

—¡Te mato, mugre Gugu! —se puso de pie y me aventó su klínex lleno de mocos. Pero sonreía. Con eso tuve para saber que Zicatela estaría bien, que no necesitaría mi ayuda para cuando llegara Cordelia Sánchez Sanabria, colega científica, a aprender a surfear.

Me eché a correr hacia el área de comida de la terminal. La cabeza ya no me retumbaba. Sentí que si convencía al Memo de que me comprara dos hamburguesas, el día habría terminado (o iniciado, como quieran verlo) de manera perfecta. Pero en cuanto llegué a la zona de las mesas, el Memo no estaba solo.

—¿Así que te ibas de la casa?

—Perdón, pa.

Ambos tomaban sendos refrescos. Me senté al lado del Memo sin mirar a mi padre. Para entonces, estaba suficientemente avergonzado como para decirle:

—Te propongo algo. Mañana empiezo a buscar escuela. Es más, una más barata.

Me ofreció su refresco y le di un trago con el popote.

—Sí, qué fácil. Vámonos, que en realidad con quien te tienes que arreglar es con tu madre.

Me dio una palmada cariñosa y abandonamos el sitio. En el breve trayecto de la terminal al auto, me enteré de que Cordelia tenía una beca del 100% en el Instituto Académico Superación, que debía su nombre a la hija menor de un rey en una obra de Shakespeare y de que el Dire no siempre tenía la razón, pero tampoco se equivocaba deliberadamente.

En el auto, el Memo volvió a ser el de siempre. Me dio dos buenos golpes por desvelarlo y se echó en el asiento trasero a intentar dormir un poco. Por eso retomé la plática con mi viejo.

—Creo que ahora sí resolví lo de los panquecitos remojados —confesé.

—¿Ah, sí? —respondió mi padre sin mucho júbilo.

—Címbalos de hierro —mencioné, también con poco entusiasmo—. Así les dice a los que dejan de serlo.

—Así es. ¿Y cuál es la diferencia?

Arriesgué mi teoría. Total. Eran las cuatro de la mañana pasadas y supuse que me merecía un poco de consideración aunque estuviera equivocado.

—El valor.

—No exactamente. Tiene que ver con el valor, pero no sólo es eso.

Maldita mi suerte.

—El profesor Martorena tuvo el valor de enfrentar el sistema en 1968. Horacio Yáñez tuvo el valor de enfrentar a un maestro injusto. ¿No es eso?

—El valor es importante. Sin él, no se consigue lo que marca la diferencia. Pero lo que te hace un címbalo de hierro es otra cosa.

Recordé el pasaje del libro. Hice otro intento.

—Mmm... ¿el sonido?

—Casi.

Llegamos a nuestro edificio. Me bajé a abrir la reja. Mi papá estacionó el auto.

Despertamos al Memo, que tomó el elevador sin esperarnos. Cuando mi padre se apeó, me preguntó con una sonrisa benevolente:

—¿Te das? ¿Quieres que te lo diga?

Estaba tan harto, tan dispuesto a salirme de la carrera... Pero igual faltaba tan poco para llegar...

—No —respondí cuando ya estábamos en casa.

Y cuando daban casi las cinco de la mañana en mi nada original reloj despertador de hongo, puse la mejilla en la almohada y me quedé dormido al instante.

Increíblemente, mi mamá no se enfadó conmigo por todo el drama nocturno. Incluso me dejó dormir hasta tarde. Posiblemente se enteró de lo que ocurrió con Cordelia y se ablandó.

Me desperté a las 12 del día, completamente repuesto de sinsabores y desvelos. Una hora después, me senté ante la computadora y coloqué frente a mí la hoja del reporte de Cordelia.

"¿Existen los fantasmas?", me pregunté.

Ése fue el momento en el que se me ocurrió la manera de salir del hoyo; el momento en el que supe lo que debía escribir. Sentí como si me hubiera tomado 100 tazas de café. Sólo me hacía falta un dato importante. Tomé el teléfono y marqué a la escuela.

—Instituto Académico Superación —dijo la señora Borbolla—, oficina del Director.

—Hola, señora. Habla el Gugu.

—¿No viniste a clases, chamaco irresponsable?

—No, señora, pero no se apure. Mi mamá me encerró en una mazmorra llena de culebras venenosas.

—Sí, claro. Ahorita te paso al director.

El profesor Gutiérrez no tardó en contestar.

—No creas que tus maestros no te van a contar la falta, Gumaro —dijo el Dire en seguida. Si te ausentaste, tienes que asumir tu responsabilidad.

—Lo sé, Dire —respondí malhumorado. Después de todo, él sí había ido a trabajar.

—¿Para qué soy bueno?

—Nada más una cosa... —ataqué—. ¿Recuerda que ayer me dijo que, si yo quería, podía decirme la diferencia entre panquecitos y címbalos?

—Claro. ¿Quieres que...?

—No —lo interrumpí—. Ya sé la respuesta. Tiene que ver con "la Ley Yáñez", ¿no?

—Tiene que ver con el acto que la produjo y con la decisión de haberla implementado.

—¿Podría platicarme cómo fue?

—¿Ahora?

—Si no es mucho pedir.

Escuché que tomaba un sorbo de su infinito café.

—No hay mucho qué contar. Horacio Yáñez fue convocado a esta oficina pocos días después de lo que hizo. Entre el estudiantado se hablaba mucho de su hazaña y quise que me la contara él mismo. Lo cité y pedí al profesor Martorena que estuviera presente, pues quería oír su opinión. Horacio, temeroso de que nos pusiéramos de parte del profesor de Química, nos lo contó con cierto recelo. Pero al final, Martorena y yo convinimos en que ese día se había hecho justicia en la clase de Química. Y decidimos que una acción tan valiente y tan "sonada" —recalcó el Dire— merecía un sitio en la historia de esta escuela. Ese día, entre los dos acuñamos la famosa Ley Yáñez, que todo profesor que desee trabajar en este Instituto debe cumplir en todo momento.

—¿Cuál es?

—Nunca olvidar que el alumno y el profesor son, humanamente hablando, iguales en el salón de clases. Ninguno está por encima del otro —y añadió—: y que un acto de injusticia jamás será tolerado en el Instituto Académico Superación.

—Ya. Pero, ¿por qué se cuidan tanto los maestros de que los alumnos no la sepamos?

—Porque, en teoría, no debería de haber una ley que obligara a los maestros a ser justos con sus alumnos, Gumaro. Eso se da por entendido en todas las escuelas, pero la realidad es que no siempre es así. No obstante, déjame decirte que desde que se estableció la "incorpórea, intangible e indemostrable" Ley Yáñez, este instituto es otro.

La meta, en efecto, ya se alcanzaba a vislumbrar.

—Una última pregunta, papá, digo, Dire.

—Dime, hijo, digo, Gumaro.

Me hizo sonreír. Un tipazo, mi viejo.

—¿Por qué nunca me dijiste cuál era tu relación con el profe Martorena?

—Porque comprendí que lo averiguarías cuando fuera el momento adecuado.

Colgamos y supe que sólo me faltaba una cosa para terminar con broche de oro mi labor como científico. Me metí al Messenger y tecleé lo más rápido que pude:

```
Gugu: Mi querido Mayonesa: te voy a
  hacer el encargo más importante y más
  difícil de toda tu cibernética vida.
McCormick: Tú di rana, Gumersindo.
```

Y entonces comencé mi informe definitivo.

## Viernes 19 de diciembre

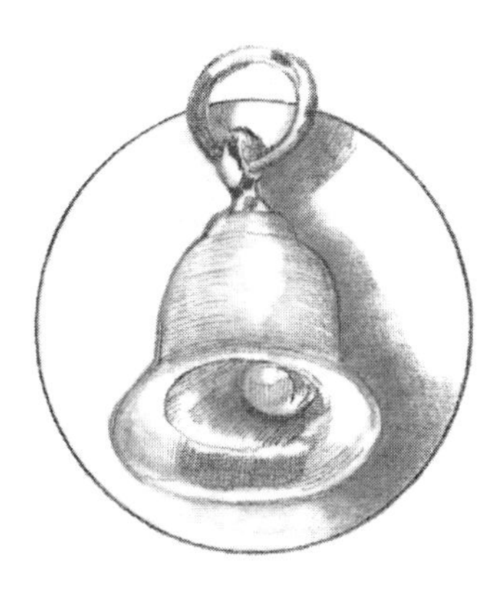

Queridos amigos científicos del mundo
terreno y ultraterreno:

Por fin llegó el día señalado.

Como todo el mundo sabe, el último día de clases es una tremenda pachanga. Sólo tenemos tres horas de clase y, a partir del primer recreo, comienza el convivio. Incluso esas tres primeras horas son una farsa, porque ni siquiera los maestros pueden ocultar que ya les anda por salir corriendo de vacaciones.

Así que, ese día, yo era el único en toda la escuela que no se sentía con ganas de brincar de alegría. Y se notaba. El Cuarenta me lo dijo al subir al coche:

—¿Qué te pasa? ¿Por qué te peinaste con gel?

—Porque si voy a hacer un oso, por lo menos que sea un oso bien peinado.

—¿Hoy presentas tu informe?

—Tenía la esperanza de que me secuestraran los extraterrestres, pero está visto que la vida es injusta.

Mi mamá me miró por el retrovisor con un gesto cariñoso. Ella también estaría ahí. Como todo el mundo. A lo mejor hasta los primos segundos de Marissa y los bisabuelos del Chóforo se presentaban. TODO EL MALDITO MUNDO. Como si yo necesitara de grandes multitudes para demostrar cuán tarado puedo ser. Pero ni modo, queridos amigos. Hay que apechugar.

Tal como lo predije, las tres primeras horas de clase fueron una vacilada. Los maestros se la pasaron charlando con nosotros y fingiendo que no tenían la obligación de instruir y educar nuestras jóvenes mentes. Mal plan, porque el ánimo festivo me ponía aún más nervioso.

En clase de Francés me dieron ganas de ponerme de pie, como todo un címbalo de hierro, y decirle al maestro: "¿Para qué se supone que venimos a la escuela?". Me lo imaginé diciendo "*Ce n'est pas drôle, Gumaro. Pas drôle*". Y a mí, contestando: "Claro que no es gracioso. Por eso le digo, ¿a qué se supone que venimos a la escuela? ¿A platicar o a aprender?". Pero hasta a mí me quedó claro que con eso no obtendría la promulgación de ninguna ley, sino, a lo mucho, un nuevo reporte y otra visita a la Dirección, así que mejor me quedé callado.

Los festejos comenzaron en dos patadas. El salón de eventos se llenó a reventar. Nada más faltaron los policías, los bomberos de la ciudad y los que cuidan a los animales en el zoológico para que de veras estuviera TODO el mundo.

Los del coro cantaron como mil villancicos, los del grupo de teatro representaron su pastorela y, para mi mala suerte, a mí no me dio ningún tipo de soponcio a la hora en que el diablo, el ángel, San José, la Virgen, los 400 pastores y el muñeco *Fisher Price* que la hizo de Niño Dios salieron a agradecer los aplausos.

Momentos después, el profesor Martorena subió al estrado y tomó el micrófono. Todavía no me explicaba qué hacía yo ahí si hubiera podido brincarme la barda y echarme a correr hasta llegar a Ensenada.

—Buenas tardes —dijo Martorena, provocando silencio absoluto—. Ésta es una ocasión especial. Antes de que inicie nuestra tradicional posada, pedí que se abriera un espacio para que un alumno de segundo año nos presente un informe científico que preparó en torno a un tema que es de sumo interés para todos nosotros.

Más aplausos, aunque yo todavía seguía deseando que me diera un infarto. ¡Dios mío! ¿Qué pasó? Gugu, ¿estás bien? ¡Llamen una ambulancia! No, esperen, ya es demasiado tarde, ha fallecido. ¡Pero cómo, tan buen muchacho, tan joven que era! Marissa, no llores, deja de besar su cadáver...

Maldita realidad, a veces puede ser bien cruel. Subí al estrado al lado de mi admirado profesor de Física y ninguno de mis signos vitales se vino abajo.

—¿Existen los fantasmas? —preguntó el profesor Martorena un poco dramáticamente, a lo mejor influido por la pastorela que acabábamos de presenciar—. Adelante, panquecito.

Y, dicho esto, salió de escena arrastrando la pierna.

Aun más aplausos. Y luego, un silencio como para velar a un par de muertos.

Estaba solo frente a toda la escuela, con mi peinado de ñoño y mis hojas de ñoño. Tosí y acomodé el micrófono que emitió un chirrido como de alma en pena. Muy conveniente. Unos tarados empezaron a corear "¡Gugu, Gugu, Gugu!", lo cual me hizo sentir un poquito menos nervioso.

Súbitamente recordé que todo el Instituto Académico Superación me conoce, desde los que hacen la limpieza hasta los chavos de otros grados, los prefectos y los maestros. Es decir, todos. Y absolutamente todos saben que he hecho suficientes osos en mi vida como para echarme otro sin salir muy lastimado. Forcé una sonrisa y, justo cuando iba a comenzar mi lectura, me di cuenta de que, efectivamente, ahí estaba todo el mundo.

Cordelia Sánchez Sanabria se encontraba hasta el fondo del salón, de pie y sin cruzar los brazos. Una chava típica en una postura típica. Llevaba ropa de calle y una sonrisota que se confundía con las de todos los demás babosos que ya empezaban a disfrutar las vacaciones por adelantado. Qué *surfing* ni qué *surfing*. Si lo suyo son los matraces y los telescopios.

Hicimos contacto visual. Sonreímos. Y supe que nada me salvaría de leer mi informe.

Así que hago aquí el *copy/paste* de mi reporte (con algunos adendos de último minuto) para que se enteren de qué fue lo que leí frente a todos los habitantes de este mundo globalizado a las 12:05 p.m. de este científico viernes antes de salir de vacaciones:

## ***Sobre la existencia de los fantasmas***

### ***Trabajo que presenta para aprobar la materia de Física el alumno Gumaro Gutiérrez Ávila en colaboración con Cordelia Sánchez Sanabria***

*Queridos compañeros, maestros, padres de familia, señores de la limpieza y señora de la tiendita:*

*¿Existen los fantasmas? ¿No es ésta una cuestión que preocupa a todos los mortales? ¿No es uno de los mayores misterios del planeta? ¿Acaso no nos sentimos convocados a las salas de cine cuando hay una película de espectros y similares? ¿No es éste uno de los tópicos de mayor interés para la raza humana, sólo superado por el de si hay vida en Marte? Estoy seguro de que sí. Por eso estamos aquí reunidos, porque nada nos daría más gusto que salir de la duda y pasar de una vez por todas a otros asuntos.*

*¿Existen los fantasmas? Pues bien, sépanlo de una vez. Existen. Y está comprobado científicamente. Así que, si alguien desea salir corriendo de la escuela en este momento y dar la noticia a los periódicos, no lo culpo. Sólo les pido que refrenen un poco su entusiasmo y escuchen antes el informe completo. No vaya a ser que esta noticia no sea lo que ustedes esperaban, hagan el ridículo en cadena nacional y luego quieran culpar al Gugu por ello.*

*En fin, como les iba diciendo, los fantasmas sí existen. Lo sé porque los he visto. Y tengo evidencia documental que lo confirma.*

*El primero de diciembre me llevaron a la Dirección, donde se me encargó la difícil misión de demostrar, mediante la más rigurosa metodología científica, la existencia de dichos seres espectrales.*

*El Director nunca sospechó que, con un acto tan simple, estaba convocando a las fuerzas sobrenaturales más terribles, ni que estaba desatando a los más feroces ejércitos de fantasmas para que se confabularan en contra de este humilde servidor de la ciencia.*

*Porque basta proponerse ver algo para notar su presencia. Y, de pronto, una serie de fantasmas empezaron a aparecerse y a desfilar frente a mis ojos. No obstante, tengo que confesar que yo no los veía. Pero ahí estaban. Ahí estuvieron todo el tiempo. Pero sólo pude distinguirlos hasta que se me cayó la venda de los ojos. Fantasmas como no se han visto ni en las películas.*

*Cuando inicié este informe, mi colega, Cordelia Sánchez, aquí presente y para quien pido un fuerte aplauso, pues nada de esto habría sido posible sin su ayuda...*

La señalé. Levantó la mano con timidez. Aplausos.

*... me dijo que lo primero que debe hacerse en un trabajo serio y profesional de esta índole, es definir con toda precisión el fenómeno que se desea estudiar.*

*Así que... ¿qué es un fantasma? Ya sé que muchos de ustedes van a salir con que es el alma de una persona que murió y que vaga en pena por el mundo. Está bien, pero, ¿cómo se demuestra que eso existe? ¿De qué sustancia está hecho? ¿Cómo se verifica su presencia? ¿Qué aparatos indican, sin margen de error, que hay un fantasma en el campo de estudio?*

*Les voy a decir la verdad. No hay modo de medir o verificar la presencia de un fantasma de acuerdo a la definición clásica y aceptada por todos porque nadie ha podido agarrar a uno, sentarlo sobre sus piernas y medirlo, palparlo o platicar con él. No se puede demostrar la existencia de algo de lo que no se puede afirmar prácticamente nada: ni de qué está hecho, ni si debe arrastrar cadenas, decir "bu", traspasar las paredes, mover una tablita de ouija o qué. Lo único que tenemos para demostrar la existencia de los fantasmas es lo que creemos que son.*

*Y lo más probable es que hemos estado equivocados desde el principio, pues siempre hemos creído que un fantasma no es más que un conjunto de ideas divertidas para dar miedo en noches de tormenta, apagones y campamentos. Y a lo mejor los fantasmas son otra cosa. A lo mejor, atemorizantes y con la capacidad de transmitirnos un frío glacial... son otra cosa.*

*El día en que el Director me citó en su despacho y me preguntó qué me hacía sentir vivo, no supe qué contestar. Fue ahí donde empezaron mis fantasmagóricas visiones. Pero no me di cuenta, hasta ayer, de que, como alumno de secundaria, he estado rodeado de ellos toda mi vida y nunca los había visto.*

*Siempre creí que lo que nos tocaba a nosotros, los chavos, era pasarla bien. Cumplir con nuestras tareas, sacar buenas calificaciones y ser, en lo posible, "buenos muchachos". Siempre creí que bastaba una consola de videojuegos y un montón de mantequilla de cacahuate para ser feliz. Pero ayer aprendí que no es lo mismo ser feliz que no querer darse cuenta. Que tal vez el más horripilante fantasma que asedia a los de nuestra edad no sea la Llorona, ni el Coco, ni el Chupacabras, sino otra cosa. Otra cosa.*

*Estoy seguro de que el día en que el Dire me preguntó sobre mi gran pasión en la vida, le habría dado lo mismo que le dijera que el* rock *o las mariposas monarca. A los adultos les encanta escuchar que estamos metidísimos en cosas que requieren estudio, dedicación, trabajo en equipo... en fin, todo eso que les permite creer que nos mantendremos lejos de las drogas, las misas negras y el* piercing. *La verdad es que no creo que les importe mucho si les decimos que de grandes queremos programar computadoras o meter goles o componer sinfonías. Y tal vez a nosotros tampoco debería importarnos demasiado por el momento.*

*Pero eso no significa que la vida sólo consista en jugar videojuegos, ver la tele o intentar llegar a tercera base antes de cumplir 18.*

*¿Qué tal, por una vez, pensar en esas heróicas empresas que tanto vemos a los personajes de los videojuegos realizar una y otra vez gracias a nuestra habilidad con los pulgares?*

*¿Qué tal, (aquí vendrían bien unas buenas fanfarrias), salvar al mundo, por ejemplo?*

*A los adultos les importa mucho que los jóvenes nos interesemos en salvar al mundo porque ellos ya están muy cansados de intentarlo. Quieren pasarnos la factura y pretenden que recojamos todo el mugrero que han producido a lo largo de la Historia. Pero no creo que esto sea tan malo. Es lo que les toca hacer a los adultos de todas las épocas. Echarnos en cara nuestra pobre capacidad de hacer cosas importantes. Y bueno... ya puestos en éstas, creo que nosotros sí tenemos esa responsabilidad, sólo que es un poco distinta de lo que ellos creen. No tiene que ver con apagar focos para salvar osos polares ni con agarrar a pedradas a los barcos balleneros, aunque se traten de intentos interesantes.*

*El mundo que nos toca salvar es otro. Lo comprendí el día de ayer porque estuve a punto de verlo desquebrajarse. Y me di cuenta de que cada uno de nosotros hubiera sido responsable del rompimiento de ese planeta de carne y hueso que gravita a nuestro alrededor, y que habitamos y conformamos todos los días. El de nosotros. Ese mundo al que no tienen acceso los adultos por mucho que quieran. Porque, por mucho que se acerquen y sean amables y comprensivos, nosotros sabemos que son extranjeros, visitantes, vigilantes. No porque les cueste mucho trabajo terminar una misión en el* Call of Duty *o porque sean incapaces de conectar un* Blu-ray *por sí mismos, sino porque el papel que les toca es el de ser adultos. Y los adultos hacen cosas y cometen actos que nosotros no siempre podemos entender. Por ello, a veces reaccionamos de manera equivocada. A lo mejor lo entenderemos cuando nos toque ocupar su lugar. Pero, por lo pronto, la mejor defensa que tenemos para no empezar a drogarnos, o a dejar de comer hasta quedar como un esqueleto, o para no terminar colgado de una viga con la lengua de fuera somos nosotros mismos.*

*Esa sí es nuestra responsabilidad. Mantener funcionando ese mundo que somos nosotros.*

*Digo esto porque puede haber un millón de posibles intereses para nosotros, un millón de cosas por las que podríamos apasionarnos hasta que nos explote la cabezota. Y éstas pueden ir desde los deportes hasta iniciar una colección de estampitas de* Ben 10. *Desde las novias hasta la religión;*

*desde el Che Guevara hasta Kurt Cobain. Pero salvarnos a nosotros mismos no es algo que podamos dejar a otros, porque ni siquiera viven en este mundo. Y eso es algo que sí nos tiene que interesar.*

*No podemos culpar a nadie si, caminando hacia ese sitio que aún no distinguimos bien, uno de nosotros cae al suelo y nadie le echa la mano para que continúe la marcha a nuestro lado. No podemos culpar a nadie más si todos pasamos por encima de él sin reparar en su ausencia repentina. Cuando lleguemos a ese sitio que se llama edad adulta, vamos a extrañar a todos aquellos que perdimos en el camino. Lo sé porque ayer a la una de la mañana tuve esa visión del futuro y no me gustó nada.*

*Fueron los fantasmas los que me ayudaron a comprender muchas cosas en estos días de ardua investigación. Por ejemplo, que en todos los tiempos ha habido chavos como nosotros que, al presenciar una injusticia, se unen y motivan un cambio. Organizan marchas o enfrentan un abuso. Y modifican la Historia.*

*Ésa es la diferencia entre un pan blando y una férrea campana. Que el primero no consigue modificar nada porque pasa por la vida siendo apachurrado, tragado, dejándose llevar. Y el segundo, no sólo motiva el cambio, sino que lo transmite. Deja huella. Se escucha de lejos. Así pasen cinco años, se mantiene una ley que nació de una pacífica rebeldía. Así pasen 40 años, todavía se escucha el clamor de un movimiento estudiantil que quiso cambiar el mundo.*

*El panquecito tiene que imaginar la fuerza del magneto. El címbalo la conoce, porque la experimenta. Y esa fuerza, que se traduce en interés por las cosas, por nosotros, por nuestros actos y por nuestro mundo, esa fuerza que nos hace vibrar es la única que puede salvarnos.*

*Ya sé que suena azotado (y deja de hacer caras, Picachú), pero así es.*

*Ayer presencié un hecho verdaderamente fantástico. En un mundo poblado de fantasmas, vi cómo uno se materializaba, adquiría esencia humana y recubría su alma errante de carne y hueso. Vi cómo su mirada hueca adquiría vida y comenzaba a posarse en los ojos de los demás. Presencié cómo se despojaba de sus cadenas y por primera vez prestaba oídos al palpitar de su corazón. Ayer vi cómo uno de estos fantasmas era salvado del limbo de la indiferencia. A lo mejor porque eso es lo que hacen las hijas de los reyes de las leyendas antiguas, aun sin saberlo o sin proponérselo: rescatar a los que necesitan ser rescatados con acciones que pasan desapercibidas a primera vista.*

No fue a propósito, lo juro. Finalmente yo no sabía que estaría presente. Pero sí noté que el rostro de Cordelia cambiaba un poquito. Que abría más los ojos. Que se ponía alerta.

*Los fantasmas existen. Y convivimos con ellos todos los días. No puedo hablar de los fantasmas de otros mundos porque no los conozco, pero sí de los fantasmas que habitan el nuestro. Porque los conozco y río y chateo y voy al cine y juego Números con ellos.*

*No es nuestra culpa. De repente uno de nosotros se separa sin que nos demos cuenta. Y lo dejamos vagar porque tal vez creemos que regresará. Pero también es posible que no lo haga. Empezamos a tratarlo como si no fuera uno de los nuestros. Y le ponemos sobrenombres. Nos burlamos. Le imponemos barreras infranqueables. Nos volvemos, también, sus fantasmas.*

*Chance y es como un juego. Y se nos ocurre que, si una persona tiene los dientes más grandes que el promedio, o es más gordo o más listo o más pelirrojo que el promedio, merece una etiqueta. Y lo mandamos sin querer a una isla.*

*A veces ocurre que esa persona tiene cualidades increíbles. Construye puentes, derrumba muros, tiende su mano, le causa gracia el asunto y no pasa nada. Porque así somos los chavos. Ahí tienen de muestra a Pablo Godínez o a Luis Rendón, alias el Palillo y el Hobbit.*

Reverencia del Palillo y el Hobbit, con el consecuente aplauso y abucheo.

*Pero también a veces ocurre que no. Y entonces el alienado se queda en su isla, se pierde en la bruma. Se convierte, también, en un fantasma. Y algunos, está comprobado científicamente, son verdaderas almas en pena. No es nuestra culpa. Los chavos somos así. Somos como esa ley de la termodinámica que dice que todo tiende al caos, ¿verdad, prof?*

Miré a Martorena y también me percaté de que, aunque lo que estaba leyendo no tenía nada de científico, no parecía importarle.

*Con tanta película, tanto videojuego, tanto programa de televisión, tanto grupo musical, tanta revista, tanta Internet, tanto mundo, es natural que seamos un relajo. Y que a veces nos perdamos entre tanta cosa. Pero esto no significa que no deba importarnos. No significa que no debamos ponernos las pilas. En Estados Unidos, los chavos se matan entre sí porque se hartan de tener pesadillas, de sentir ese frío glacial en el cuerpo, de escuchar risas que no les causan gracia, sino miedo. Nos tiene que importar. Si uno de nosotros cae, todos caemos.*

*Hace unos días, pensando en lo que hicieron jóvenes con un verdadero afán de justicia 40 años atrás, creía que somos una generación de tarados inútiles. Pero ahora me doy cuenta de que no es así. Cada generación tiene sus propias broncas. A lo mejor la lucha que nos toca a los chavos de estos tiempos es conseguir que, algún día, los fantasmas dejen de existir. Digo, para que nos deje de preocupar ese dilema y podamos pasar a otras cosas. (A los aluxes o a los hombres lobo, por ejemplo, ja).*

*No hay nada de malo en el pan blando. Pero es probable que no haya mejor edad que ésta para hacer cosas verdaderamente importantes que resuenen a la distancia y dejen una huella imborrable en el tiempo.*

*Y tal vez podríamos comenzar por dejar de mirar sólo hacia dentro o hacia alguna pantalla, sea cuadrada o redonda, de LCD o de chorromil pixeles. Tal vez podríamos comenzar por mirar hacia los lados. Probablemente descubramos que somos más parecidos de lo que creíamos. Y que, si ninguno se pierde en el camino, nos salvamos todos.*

*Tan tan. Hasta aquí el choro mareador, digo, el informe científico que para aprobar con 10 la materia de Física presenta a la comunidad científica internacional el panquecito remojado en chocolatito con espuma, Gumaro Gutiérrez Ávila, alias el Gugu, en colaboración con la mejor científica de este plantel, Cordelia Sánchez Sanabria, a quien pido me acompañe en este estrado.*

Aplausos, primero tímidos, luego en toda su expresión. Cordelia tuvo que abrirse paso entre la gente y, al llegar a mi lado, fue completamente natural lo que ocurrió.

Nos abrazamos.

Creo que con eso verdaderamente quedaba atrás toda la aventura. Agradecimos haciendo un par de caravanas iguales a las de los chavos de teatro y luego volví rápidamente al micrófono:

—Antes de despedirme, quisiera hacer dos últimas observaciones. La primera es un mensaje para Patricia Asunción del 202. Le gustas a René, alias el Cuarenta. Él me pidió que no te lo dijera, pero es un hecho objetivo y demostrable que es un buen cuate y, como tú también eres muy buena onda, no creo que te arrepientas si empiezas a andar con él. La segunda es un mensaje para todos los papás de las chavas que asisten a este heróico y glorioso Instituto. Otro hecho fácil de comprobar es que sus hijas no reprueban por culpa de sus novios, sino todo lo contrario. El número de materias que reprueban es inversamente proporcional al apoyo que reciben de sus chavos y galanes. Es medible. Es verificable. Y este humilde servidor de la ciencia está dispuesto a iniciar una investigación exhaustiva y rigurosa para demostrarlo. Feliz Navidad y no se pongan locos con el ponche, que lleva piquete.

Volvieron los aplausos, pero yo todavía tenía un par de pendientes, justamente con mi colega científica.

—Buen informe, Gugu —me dijo—, aunque no vi el rigor científico por ningún lado.

—Es que a veces no ves más allá de tu nariz, Cordelia. ¿Por qué no te fuiste a Zicatela? Ya sabía que tenías que volver para machetearle, que es lo único que en realidad te sale bien.

—Volví porque no quise perderme esto —sonrió. Y creo que hasta se veía bonita, la neta. Se había maquillado, peinado y toda la cosa—. Pero mañana salgo para allá con mi mamá.

—¿Entonces sí te late el *surfing*?

—Algún día te voy a sorprender, verás.

—Y hablando de sorpresas... aguántame tantito.

Me di la vuelta, saqué mi celular y marqué el número que el McCormick me consiguió como a las dos de la mañana de este glorioso viernes. Un tipazo, el Mayonesa, algún día va a *hackear* todos los sistemas informáticos militares del planeta y él sí que va a salvar al mundo.

No había tiempo que perder. Sonó una, dos, tres veces. Contestaron.

—¿Bueno? —dijo una voz grave.

—Soy yo, señor. Gumaro Gutiérrez. Otra vez.

—Ah sí, qué tal, Gumaro.

—¿Ya habló con ella?

—Pensaba hacerlo en un par de horas, es que estoy en un ensayo y...

—Pues no lo piense tanto, oiga, no se le vaya a cansar el cerebro.

—Es que... es que... ¡diantres! Tienes razón. Es sólo que estoy un poco asustado. Fui un verdadero imbécil con ella y, la verdad, no sé qué decirle.

—Pues ya se le ocurrirá algo. Ahora pare bien la oreja porque se la voy a pasar. Y, por amor a Elektra, a la Celestina, a Lisi la Trata y a todas ésas que sí le importan tanto, ¡no la vaya a...!

Le extendí el teléfono a Cordelia, quien, confundida, no sabía si tomarlo.

—¿Quién es?

—Alguien que quiere hablar contigo. ¡Y apúrate, que tengo poco crédito!

—Pero...

—¡Ándale, Cordelia!

Se acercó el celular al oído y dijo con recelo:

—¿Bueno?

Yo me aparté poco a poco, viendo cómo Cordelia se sentaba lentamente en el suelo del estrado, justo bajo la estrella de Belén. Y vi como todas esas piezas de dominó que se habían venido abajo aquel día en su casa, comenzaban a regresar a su lugar nuevamente. Una tras otra. Una tras otra. Una tras otra. Una tras otra.

Eso fue todo. Sólo me queda agregar algunas conclusiones para que empiecen a salir las letritas del fin de la película, amigos.

1. Si quitamos los dos extremos de la gráfica —es decir, a mi mamá y al Avilita, que fueron los que más aplaudieron, y al Cuarenta, que fue el que menos— puedo afirmar que mi reporte fue bien recibido, así que no será

ninguna tortura volver a clases después de abrir mis regalos de los Reyes Magos.

2. No fui sacado en hombros de la Plaza de toros, pero sí me palmearon la espalda casi todos los que me encontré en el camino cuando iba de regreso a mi silla.
3. Marissa me presentó a su papá y el señor estrechó mi mano con gran gusto. Incluso me dijo que iba a pensar con toda seriedad lo de la investigación que propuse públicamente. Lo cierto es que, aprovechando la algarabía de la posada, Marissa y yo nos perdimos un par de veces entre la gente. En uno de esos secuestros exprés, burlamos a los prefectos y nos fuimos al famosísimo Jardín del Pulpo. Queridos amigos, tengo que confesarles que aún no llego a segunda base, pero me di cuenta de que no hay ninguna prisa. Este juego tiene nueve entradas y todavía hay bastante tiempo para conectar un *home run*.
4. El Cuarenta y Paty Asunción también se perdieron un par de veces entre la gente. Me consta porque fue justo antes de que el Cuarenta, a lo mejor motivado por el ponche, agarró el micrófono y se puso a cantar villancicos. Se le salieron tantos gallos que creo que por fin ocurrió el milagro. A lo mejor hasta regresa de las vacaciones con voz de Pedro Infante.

5 El profesor Martorena no dejó de tocar una maldita campana durante toda la fiesta mientras gritaba ¡Feliz Navidad! De repente me parecía que hasta me andaba siguiendo y se empeñaba en hacérmela sonar en las orejas porque a cada rato me lo encontraba con su clanclanclán. A lo mejor se le metió el gordo fantasma de Santa Claus.

6. Durante toda la fiesta, el Dire me miró de una manera que no sé cómo se llame, pero que no se parece en nada a la decepción.
7. Durante la fiesta, Cordelia no sólo bailó conmigo sino también con otros dos tarados. Y no tuve que amenazarlos, ni nada.
8. Estoy tan cansado, que me hubiera gustado dormirme una vez terminado este último informe, pero me encontré al McCormick en el *chat* y le conté lo acontecido.

McCormick: ¿Te sirvió el teléfono que te conseguí, Gumersindo?
Gugu: Eres un amor, Mayonesa. Te vas a ir al cielo con todo e interfaces.

Jugamos un poco de FIFA y luego, a medio torneo, después de haberse quejado amargamente de la incomprensión de sus papás, me preguntó:

McCormick: ¿No sientes a veces que si pidieran voluntarios para irse a la guerra en Medio Oriente tú te formarías luego, luego y hasta te pelearías por el primer lugar, Gumersindo?
Gugu: Sí, Mayonesa. Pero no siempre. No siempre.

Y ya. No hay más. Feliz Navidad a todos y cada chango a su mecate, que mañana tengo que empezar a estudiar los verbos irregulares en inglés, resolver un millón de páginas del libro de Mate e investigar qué onda con el romanticismo europeo. Y eso es sólo para ponerme al corriente en tres materias antes de volver a clases. Me faltan otras seis igual de horribles.

Y por cierto, qué 10 en Física ni qué la tía Cleta, me pusieron nueve y nomás en el puro bimestre. Está visto que el destino a veces se enroncha conmigo, amigos. Mal plan.

Aunque no siempre. No siempre.

Fin del informe.

Impreso en los talleres de
Litográfica Ingramex, S.A. de C.V.
Centeno 162-1, Col. Granjas Esmeralda,
Delegación Iztapalapa, C.P. 09810, México, D.F
Agosto de 2016.

P. D. Por cierto... ¿"Diantres"? ¿Quién diantres en el mundo dice "diantres"? Algunos adultos de veras tendrían que ser investigados con lupa, microscopio, rayos equis y EMF. Palabra.

Bueno, y ya.

Ahora sí.

Fin del informe.